SCULPTEZ
VOS ABDOS

Christophe Carrio

CHRISTOPHE CARRIO, coach sportif, est un athlète de haut niveau, cinq fois champion du monde de karaté artistique. Il a suivi un cursus à la *National academy of sport medicine* aux États-Unis. Il coache aujourd'hui des centaines de personnes : sportifs de haut niveau, chefs d'entreprises, acteurs ou anonymes qu'il prend plaisir à entraîner afin de les aider à atteindre leurs objectifs sportifs.

Dans la même collection

Musculation athlétique
La meilleure façon de courir
Musculation haute densité
Mon plan forme et minceur
Un corps sans douleur

Du même auteur

Echauffement, gainage et plyométrie pour tous, Amphora, 2008
Sports de combat, Amphora, 2006

Directrice éditoriale : Elvire Nérin
Éditrice : Priscille Tremblais

Conception graphique et réalisation : Catherine Julia (Montfrin)
Photos : Stéphane Bouquet ©
Illustrations : Jérôme Chardin (Psyence Graphics)
Dépôt légal : 1ᵉʳ trimestre 2010

ISBN : 978-2-916878-50-8

©Thierry Souccar Éditions, 2010, Vergèze (France)
www.thierrysouccar.com

SOMMAIRE

INTRODUCTION

Qui n'a jamais été fasciné par les abdos des mannequins en couverture des magazines ? Homme ou femme, vous êtes nombreux à rêver d'arborer de magnifiques « tablettes de chocolat ». Pour certains, cette quête est même obsessionnelle.

Des séances entières de cours collectifs sont dédiées au renforcement musculaire des abdominaux. Une centaine d'articles y est consacrée chaque printemps. Comment atteindre cet objectif ? Comment muscler ses abdos ? Les exercices d'abdos améliorent-t-ils vraiment les performances sportives ? Préviennent-ils efficacement le mal de dos comme certains médecins ou kinés le conseillent encore trop souvent « *tu as mal au dos, fais des abdos* » ? Comment perdre ce fameux bourrelet, petit mais tenace, au niveau du ventre ? Les réponses sont dans les pages qui suivent.

Trente ans de sport derrière moi, déjà. Trente ans durant lesquels j'ai appris à communiquer avec mon corps, à décoder ses messages. Trente ans qui m'ont appris qu'un travail de la sangle abdominale mal conduit pouvait aggraver un mal de dos, faire ressortir l'abdomen (l'inverse de ce qui est recherché) et même provoquer des hernies discales. Certains exercices d'abdominaux couramment pratiqués sont très mauvais pour la posture comme les fameux relevés de buste que l'on réalise allongé sur le dos. Le renforcement des abdominaux doit se faire dans le respect de la posture. Il doit se faire de concert avec le renforcement du dos car un équilibre musculaire doit exister de part et d'autre de toute articulation.

**Faire des abdominaux sans travailler les muscles opposés est un non sens !
Le renforcement de la sangle abdominale doit se faire
dans le respect de la posture.**

Comme dans l'ensemble de la collection « Mon coach remise en forme », vous allez découvrir dans ce livre que le travail d'une zone du corps a des répercussions sur toutes les autres. Autant faire en sorte que ces répercussions soient positives. Ce livre ne se focalisera pas sur les abdominaux, mais sur **le centre du corps** c'est-à-dire vos abdos, mais aussi vos hanches et l'ensemble du dos, car le corps n'est pas qu'un assemblage de pièces détachées. Il fonctionne comme une seule et même entité. Ce livre fait un zoom sur *le centre* pour en comprendre le fonctionnement et vous permettre d'atteindre vos objectifs sportifs et esthétiques sans nuire à l'équilibre du corps.

Le but de ce programme est d'être **fonctionnel avant d'être esthétique**. Renforcer le centre doit servir :
• à lutter contre les effets de la position assise,
• à améliorer la posture générale,
• à améliorer la gestuelle quotidienne,
• à améliorer des performances physiques et sportives.

L'esthétique de la sangle abdominale découlera naturellement de ce programme si l'on prend soin parallèlement de son alimentation.

Ce livre a pour ambition de vous apprendre à renforcer votre centre en fonction de votre type postural et détaille les stratégies alimentaires les plus efficaces pour perdre du ventre.

Avec un tel postulat, ce livre s'adresse à tous. De la maman qui vient d'accoucher et qui veut récupérer un ventre plat en passant par la personne qui a chroniquement mal au dos, le sportif qui veut améliorer ses performances physiques, jusqu'au mannequin qui veut sculpter ses tablettes de chocolat !

Mon forum est là également pour vous guider, échanger, et vous permettre de m'interroger sur des points précis alors n'hésitez pas : www.christophe-carrio.com

Bonne lecture et surtout bon entraînement !

COMPRENDRE LE CORPS

CHAPITRE 1

LA SYNERGIE DU CENTRE DU CORPS

Dans tous les gestes quotidiens et les pratiques sportives, **le centre** du corps est d'une importance capitale car il intervient dans tous les mouvements. Comment se définit le centre ou *the core* comme l'appellent les Anglo-Saxons ?

L'ensemble des groupes musculaires du corps sont reliés et organisés les uns avec les autres sous la forme de chaînes musculaires. Ces chaînes musculaires ont un point commun, le centre de notre corps, « the core ». Ce centre représente un pilier grâce auquel les membres supérieurs et inférieurs peuvent communiquer via les chaînes musculaires. Plus ce pilier est stable et rigide, plus les bras et les jambes pourront produire des mouvements efficaces, précis, rapides, puissants et surtout économiques.

Jusque tout récemment, on considérait que le centre comprenait la zone abdominale et le bassin (le renforcement du centre reposait donc principalement sur des exercices de relevé de buste). Cette vision du corps est erronée. Aujourd'hui on considère que le centre est la zone du corps comprise entre les hanches et les épaules, et ce, que l'on regarde de face, de profil ou de dos. Elle abrite le centre de gravité qui est le point central de l'équilibre chez l'homme. Le centre de gravité se situe chez la majorité d'entre nous à 55 % de la hauteur du sujet mesuré à partir du sol en avant du sacrum, en résumé aux environs de notre nombril. Ainsi depuis que l'homme a adopté la station debout, toutes les actions du corps pour garder l'équilibre se font autour de ce point principalement.

Dans les civilisations orientales, le ventre abrite le *Hara* c'est-à-dire la « réserve » de l'énergie humaine. Le centre du *Hara* coïncide avec le centre de gravité. Pour les Japonais, c'est le point où s'emmagasine et où jaillit l'énergie du corps humain.

Cette façon de voir les choses est en parfaite adéquation avec le rôle mécanique du centre du corps qui regroupe les muscles de l'abdomen, les muscles autour de la colonne vertébrale et enfin les muscles autour du sacrum et du bassin qui forment le plancher pelvien.

Les muscles du centre forment une ceinture ayant plusieurs fonctions.

• Une fonction de contention des viscères : intestin, foie, rate, reins, pancréas, estomac, vessie, et pour la femme, ovaires et utérus.

• Une fonction de respiration en aidant le diaphragme lors de l'inspiration et de l'expiration.

• Une fonction d'aide à la circulation sanguine : en agissant avec la respiration abdominale, ils permettent au diaphragme de jouer le rôle de pompe favorisant le retour veineux des jambes.

• Une fonction digestive. En effet lors de leurs mouvements, les muscles abdominaux massent les viscères et ainsi favorisent le transit des aliments et des matières fécales.

• Une fonction de mouvement et de transmission des forces, fonction sur laquelle nous reviendrons plus longuement.

• Une fonction de maintien de la colonne vertébrale, fonction sur laquelle nous reviendrons plus en détail également.

• Une fonction de protection des viscères.

• Et bien évidemment un rôle esthétique en raffermissant et en affinant la taille.

Au sein du centre du corps, on peut distinguer deux unités musculaires qui fonctionnent en permanence en synergie : **l'unité profonde** et **l'unité superficielle**.

Ces deux unités forment un tout. Elles sont interconnectées via les fascias, des tissus conjonctifs qui relient les muscles entre eux, mais aussi les muscles aux os et les os entre eux (les fascias constituent un véritable squelette fibreux).

L'unité musculaire profonde a pour fonction
de **stabiliser** les vertèbres et le bassin.

L'unité musculaire superficielle a pour fonction
de **produire des mouvements**.

L'UNITÉ PROFONDE

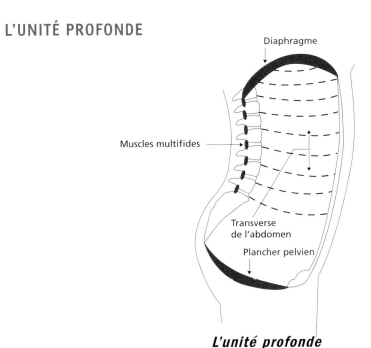

L'unité profonde

Elle est constituée de plusieurs muscles profonds : le transverse de l'abdomen, les fibres postérieures du petit oblique, les muscles du plancher pelvien, les muscles multifides, les muscles *longissimus* et *iliocostalis*, ainsi que le muscle diaphragme (voir schéma).

L'UNITÉ SUPERFICIELLE

Elle est constituée de l'ensemble des muscles superficiels situés autour du tronc et du bassin. Ces muscles sont très nombreux.

Au niveau du tronc : petit et grand pectoral, grand dorsal, muscles de la ceinture scapulaire (autour de l'omoplate), muscles autour des côtes, muscles autour du cou.

Au niveau du bassin : grand droit, petit oblique, grand oblique, transverse de l'abdomen, grand fessier, moyen fessier, petit fessier, psoas, iliaque, tenseur du *facia lata*, adducteurs, droit antérieur, grand couturier, ischio-jambiers.

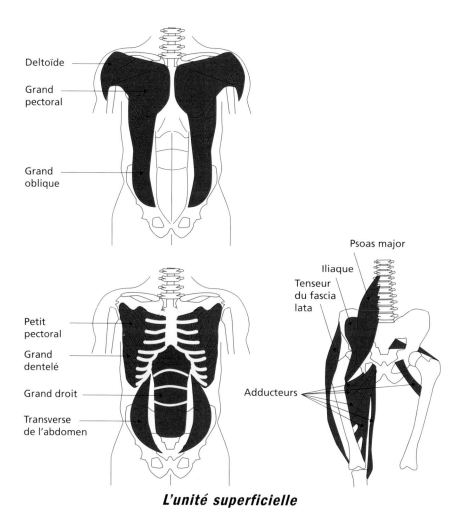

L'unité superficielle

Ces différents muscles ne fonctionnent pas de manière isolée et indépendante. Ils s'insèrent à l'intérieur de diverses **chaînes musculaires**. Une chaîne musculaire est un ensemble de muscles poly-articulaires qui produit un mouvement et/ou qui stabilise une articulation. Voici la représentation de ces chaînes.

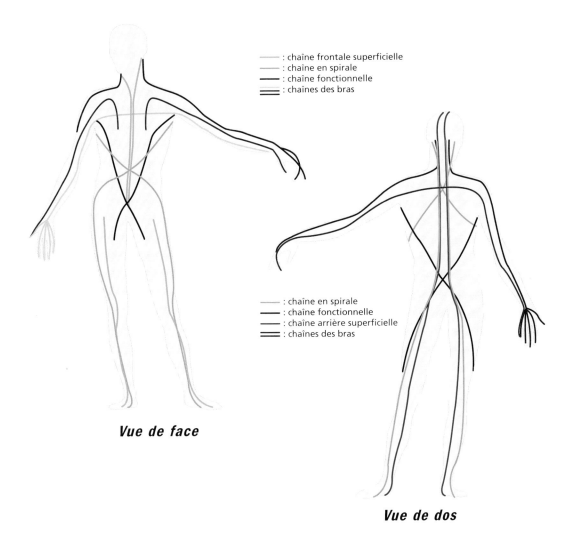

: chaîne frontale superficielle
: chaîne en spirale
: chaîne fonctionnelle
: chaînes des bras

: chaîne en spirale
: chaîne fonctionnelle
: chaîne arrière superficielle
: chaînes des bras

Vue de face

Vue de dos

Les muscles de l'unité profonde et de l'unité superficielle sont des maillons essentiels de ces chaînes. Voyons en détail ces maillons.

Le système longitudinal profond (maillon de la chaîne en spirale)

Il se compose des muscles érecteurs de la colonne vertébrale et de leurs fascias. Ces muscles communiquent avec un muscle de l'arrière de la cuisse (*biceps femoris*) via les ligaments du sacrum et du bassin pour continuer jusqu'au muscle situé sur le côté externe du tibia et du péroné, le *peroneus longus*.

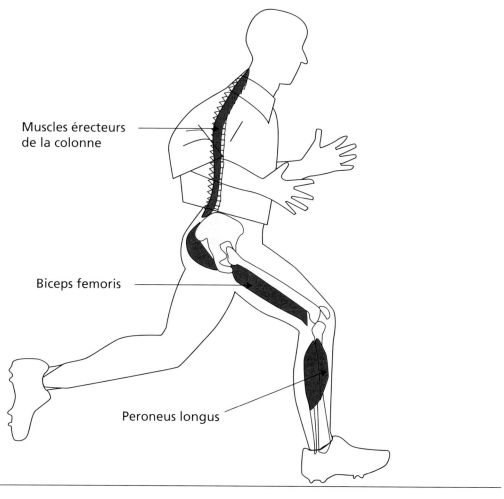

Muscles érecteurs de la colonne

Biceps femoris

Peroneus longus

Système longitudinal profond

Le système postérieur oblique (maillon de la chaîne fonctionnelle postérieure)

Il se compose du muscle grand fessier (*glutus maximus*) et du grand dorsal opposé (*latissimus dorsi*). Ils agissent sur le bassin et les vertèbres via le fascia thoracolombaire.

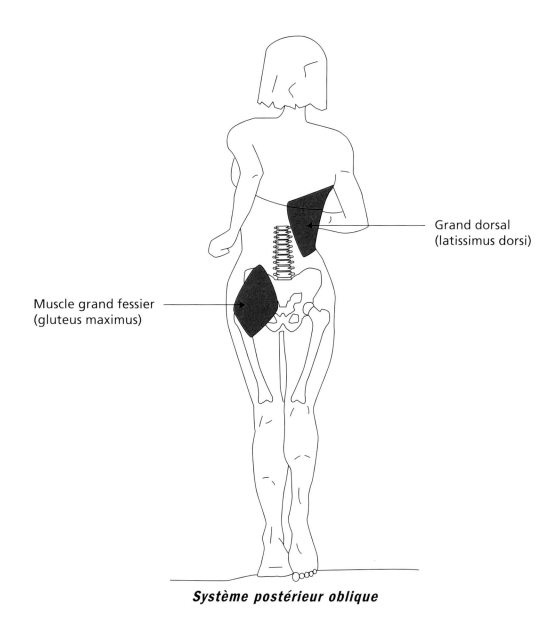

Grand dorsal
(latissimus dorsi)

Muscle grand fessier
(gluteus maximus)

Système postérieur oblique

Le système antérieur oblique (maillon de la chaîne fonctionnelle antérieure)

Il fonctionne avec les muscles adducteurs de la cuisse qui travaillent de concert avec les muscles obliques internes et les muscles grand obliques opposés afin d'aider l'unité profonde dans la stabilisation du bassin, de la hanche lors de la marche ou de toute action sportive.

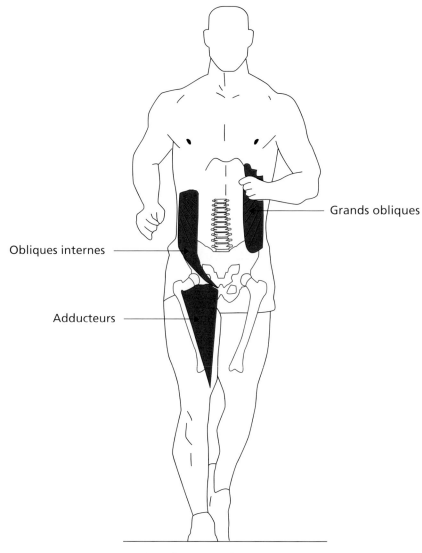

Grands obliques

Obliques internes

Adducteurs

Système antérieur oblique

Le système latéral (maillon de la chaîne profonde antérieure)

Ce système stabilise également le bassin, la hanche via les muscles petit et moyen fessiers, adducteurs et carré des lombes opposés.

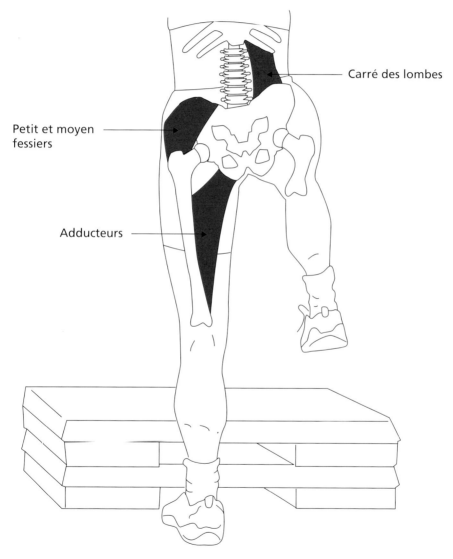

Système latéral

Lors de chaque mouvement, **unité profonde** et **superficielle** sont interdépendantes. Lors de la marche par exemple, l'unité profonde est activée en permanence afin d'offrir la raideur nécessaire aux articulations vertébrales et au bassin, Faisant cela, elle protège ces articulations et soutient le travail des muscles de l'unité superficielle. L'intensité de contraction des muscles de l'unité profonde dépend de l'inertie du corps lors des mouvements, et de la pression subie ou exercée sur chaque disque vertébral.

Bien que la fonction principale des muscles de l'unité superficielle soit de « créer du mouvement », ces derniers agissent également comme de puissants stabilisateurs corporels qui viennent en aide aux muscles de l'unité profonde.

Ce principe des chaînes musculaires conduit à proposer aujourd'hui des stratégies globales de renforcement musculaire du centre du corps. Maintenant que l'on a vu comment agissent les différentes chaînes musculaires entre elles, que l'on comprend mieux l'anatomie du bassin et de la colonne, on peut proposer un travail musculaire du centre du corps respectueux de cette anatomie. Ces stratégies sont très éloignées des exercices d'abdos que vous avez peut être pratiqués jusqu'à présent comme les crunchs par exemple.

LES CRUNCHS : BON OU MAUVAIS ?

Parmi les exercices d'abdos les plus populaires, on trouve les crunchs ou « flexion de buste ». Allongé sur le dos, genoux pliés, on redresse le buste en direction des jambes afin de contracter les muscles abdominaux (unité superficielle). Les pieds peuvent être maintenus ou non. Dans un cas comme dans l'autre, cet exercice n'est pas très bon pour le dos. En effet d'un point de vue postural, nous passons tous beaucoup trop de temps en position assise donc en flexion dorsale c'est-à-dire que notre colonne perd ces trois courbures naturelles au profit d'une seule courbure (dos rond). Cette position entraîne de fortes contraintes sur les disques vertébraux, en plus d'entraîner une certaine laxité ligamentaire et musculaire le long de la colonne vertébrale.

Les crunchs ne font qu'aggraver les dégâts de la position assise en insistant sur la flexion de la colonne. Nous verrons également que les crunchs sont à proscrire totalement pour certains types de posture (voir livre *Un corps sans douleur*).

QUID DE LA MÉTHODE DE GASQUET ?

Bernadette de Gasquet est professeur de yoga et médecin. En 2004, elle a popularisé en France une méthode de renforcement de la sangle abdominale dite hypopressive, couramment utilisée en rééducation après un accouchement. Le principe est simple : éviter les exercices qui poussent les viscères vers l'avant et vers le bas (vers le plancher pelvien) afin d'éviter des pressions pouvant distendre une zone fragilisée par l'accouchement ou par des années de sport et de mauvaises postures. Depuis quelques années, on conseille donc de rentrer le ventre pendant les exercices d'abdominaux afin de contracter le muscle transverse, un muscle profond agissant comme une gaine naturelle, tout en contractant le périnée (stop pipi). Cette méthode vise principalement à renforcer l'unité profonde ce qui est une excellente chose mais elle ne sollicite pas l'unité superficielle. Elle est donc incomplète pour les sportifs et les personnes qui ont chroniquement mal au dos. De plus, elle peut devenir dysfonctionnelle en modifiant la séquence de contraction musculaire, c'est-à-dire l'ordre naturel et logique de contraction des muscles. Rentrer le ventre en contractant le transverse et le plancher pelvien doit s'inscrire dans une stratégie plus globale. Un travail de renforcement du centre du corps doit renforcer à la fois l'unité profonde et l'unité superficielle. Il doit permettre une reprogrammation neuromusculaire c'est-à-dire que l'on doit chercher à automatiser des schémas moteurs afin qu'ils puissent ressurgir avec la bonne intensité de contraction au moment opportun.

CHAPITRE 2

LE CENTRE :
UN ÉQUILIBRE À RESPECTER

La santé est une question d'équilibre. Équilibre entre le sodium et le potassium pour réguler la tension artérielle, équilibre entre les neurotransmetteurs du cerveau pour se sentir bien et être de bonne humeur, équilibre entre les muscles pour pouvoir réaliser correctement chacun de nos mouvements.

Notre système musculaire travaille chaque jour pour nous et malheureusement nous ne faisons pas toujours exactement ce qu'il faudrait pour lui. Résultat : les individus **musculairement équilibrés** sont peu nombreux. Les positions prises au quotidien à la maison ou au travail, les émotions, un entraînement physique inapproprié, des blessures... tout cela crée des déséquilibres musculaires.

De ces déséquilibres naissent des postures, des habitudes de fonctionnement ou de maintien du corps. Certaines personnes seront plutôt cambrées, d'autres auront au contraire peu de cambrure et peu de « fesses ». Certaines seront voutées, la tête partant vers l'avant, d'autres paraîtront un peu penchées avec une épaule plus haute que l'autre. Certaines marcheront les pieds en canard alors que d'autres « écraseront » l'intérieur de leurs chaussures. Toutes ces postures dépendent de la position du bassin !

Le corps fonctionnant comme une seule entité selon le principe des **chaînes musculaires**, ce qui se passe au niveau du centre, bassin et hanches, affecte grandement ce qui se passe au-dessus ainsi que ce qui se passe au-dessous. Dès lors la façon dont vous allez solliciter les muscles attachés au bassin aura des répercussions sur votre posture et plus généralement sur votre santé. En fonction du type postural de chacun, il y a donc une bonne et une mauvaise façon de renforcer le centre du corps qui diffèrent grandement d'une posture à l'autre.

Pour qu'une articulation soit stable ou qu'elle bouge avec toute l'amplitude pour laquelle elle a été conçue, elle doit être entourée de deux muscles opposés qui maintiennent un parfait équilibre entre tension et longueur. Si d'un côté, le muscle est trop contracté, trop tendu, il force le muscle du côté opposé (antagoniste) à s'étirer, à se détendre. Si en revanche, les deux muscles opposés possèdent les mêmes capacités d'allongement, les mêmes capacités de force et d'étirement alors l'articulation en question pourra être mobilisée de façon équilibrée.

Position neutre   **Flexion de la colonne**   **Extension de la colonne**

Cela s'applique à la colonne vertébrale et au bassin. Les abdominaux, qui contrôlent la **flexion du buste**, doivent être équilibrés par les muscles paravertébraux qui contrôlent l'**extension de la colonne**. Même chose pour les muscles autour de la hanche qui contrôlent la flexion (lorsqu'on monte le genou ou qu'on le ramène vers soi) et l'extension (lorsqu'on tend la jambe vers l'arrière ou que l'on se relève de la position assise). Si l'équilibre se rompt, vous aurez l'impression d'avoir le corps vrillé ou qu'une épaule ou que votre bassin est plus haut d'un côté que de l'autre.

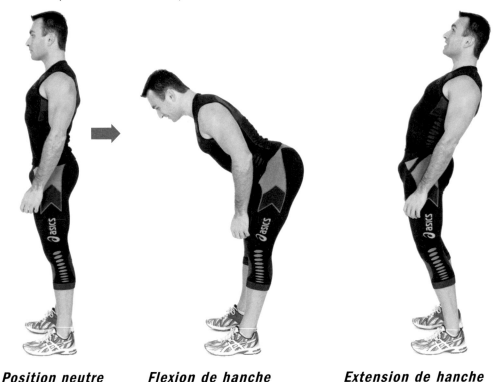

Position neutre   **Flexion de hanche**   **Extension de hanche**

Le travail du centre du corps doit donc se faire de manière équilibrée dans les trois dimensions.

Un travail isolé des seuls abdominaux (les crunchs par exemple) va créer des déséquilibres qui appelleront des compensations. Ces compensations sont une véritable plaie car elles entraînent des déséquilibres tout le long d'une même chaîne musculaire. Ces déséquilibres peuvent passer inaperçus pendant des années car les muscles qui compensent peuvent malheureusement supporter ce mauvais traitement très longtemps. Même chose pour les disques intervertébraux qui, pendant des années, peuvent rester silencieux puis un jour, se faire sentir brutalement lors d'un mouvement habituel ou anodin. Le disque intervertébral est devenu intolérant à la flexion ou à l'extension de la colonne vertébrale (parfois aux deux).

ÊTES-VOUS INTOLÉRANT À LA FLEXION OU À L'EXTENSION ?

C'est comme si vous vous demandiez quel est votre talon d'Achille. C'est une question fondamentale car de la réponse va dépendre la position de travail des abdominaux que **vous devrez éviter** pour ne pas connaître un jour le mal de dos. Elle oriente ainsi le choix des exercices et des activités sportives.

Pour répondre à cette question, soyez à l'écoute de votre corps.

Lorsque vous faites du sport (abdos, musculation, travail cardiovasculaire) ressentez-vous une douleur au niveau du dos ?

Dans quelle position exactement ? Lorsque le torse est fléchi vers l'avant (flexion de la colonne) ? Vers l'arrière (extension de la colonne), ou encore lors d'une combinaison incluant une rotation ou une flexion latérale de la colonne ?

Si vous ressentez des douleurs ou une gêne, ce n'est pas normal. Vous devez éviter les amplitudes de mouvements et les exercices qui provoquent ces douleurs. L'absence de douleur ne signifie pas que tout va bien, cela signifie simplement que votre problème (si problème il y a) est moins grave ou moins compliqué.

Voici quatre tests majeurs qui vous permettront de déterminer quel type d'intolérant vous êtes et le cas échéant les exercices que vous devez absolument éviter.

Le test choc

Debout, tenez-vous droit puis montez sur la pointe des pieds. Laissez tomber vos talons vers le sol. Commencez doucement à la recherche d'une zone douloureuse dans le dos. En fonction de vos sensations, augmentez l'impact au sol. Une douleur dans une ou plusieurs zones de la colonne est toujours un indicateur d'un problème récent ou ancien sur un disque ou sur le corps même de la vertèbre. En pratique et en fonction de l'intensité de la sensation (simple gêne ou douleur vive), cela doit vous alerter sur la fragilité de votre colonne lors de toutes compressions et donc sur la nécessité d'éviter les mouvements qui la compriment (musculation avec charge sur et au-dessus des épaules, activités avec un fort impact au sol ou des impacts trop répétés).

Cela ne signifie pas non plus que vous ne pouvez plus rien faire, mais simplement que vous devez être très vigilant lorsque vous soulevez des poids, ou lorsque votre dos vous « gêne » comme lorsque vous courez trop longtemps par exemple.

Cela témoigne également de la forte nécessité pour vous de renforcer les muscles de l'unité profonde afin de bien stabiliser votre bassin et chacune de vos vertèbres.

Le test de flexion

Ce test s'effectue assis. Il permet de déterminer l'intolérance à la compression des disques en flexion et si cette intolérance est modulée par une meilleure posture. Par exemple une personne avec une hernie discale postérieure tolérera mieux tout phénomène de compression lorsque la colonne est en position neutre (avec trois courbures naturelles) que lorsque la compression s'opère colonne fléchie. Il est donc déconseillé à cette personne d'effectuer des mouvements comprimant la colonne en flexion/compression, ce qui est malheureusement le cas de nombreux exercices d'abdominaux.

Ces exercices couramment pratiqués et encore prescrits par de nombreux médecins, kinés ou professeurs de sport auront pour conséquence d'aggraver l'intolérance et éventuellement les lésions du disque.

Assis sur une chaise, pieds bien à plat, cherchez à vous autograndir en bombant un peu le torse. Attrapez le siège de part et d'autre avec vos mains puis tirez progressivement le plus fort possible. Aucune gêne ne doit survenir. Laissez tomber vos épaules vers l'avant puis tirez de nouveau progressivement le plus fort possible. Lorsque certains disques sont « fatigués » (dommage du disque ou présence d'hernie discale), vous détecterez une ou plusieurs zones sensibles voire douloureuses le long de la colonne indiquant une intolérance à la flexion et par conséquent une contre-indication à la pratique d'exercices comprimant la colonne en flexion.

Le test d'extension

Ce test qu'on aurait pu appeler le test du plagiste (en réalité test de Mc Kenzie) permet également de mettre en évidence des lésions des disques et donne une indication sur les exercices à éviter.

Debout, en état relaxé (adopter une posture la plus détendue possible), cherchez à déterminer si certaines zones du dos sont déjà sensibles ou non (cervicales, milieu du dos, bas du dos). Puis allongez-vous sur le ventre sur une surface plate, la tête appuyée sur les avants-bras. Quelles sont vos sensations ? Redressez la tête et le torse légèrement sans bouger vos avant-bras et notez quelles sont vos sensations. Reproduire le mouvement avec une extension plus grande de la colonne.

Chez certaines personnes, ce test permet de soulager certaines douleurs dorsales (il est fréquent que ces personnes dorment sur le ventre pour soulager leur dos). Ceci indique clairement une intolérance des disques à la flexion de la colonne vertébrale. En effet dans ce test, on provoque une extension de la colonne faisant migrer le noyau du disque de l'arrière (où il provoque les douleurs) vers l'avant du disque, ce qui soulage. Les personnes intolérantes à la flexion doivent absolument éviter TOUS les exercices de renforcement musculaire et d'étirements provoquant une flexion de la colonne et se concentrer sur des exercices où la colonne est fixe en respectant les trois courbures naturelles.

RENFORCER SES ABDOS EN FONCTION DE SA POSTURE

Dans mon ouvrage *Un corps sans douleur*, je développe longuement l'influence de nos postures dominantes sur les douleurs que l'on peut ressentir (ou que l'on risque de ressentir si rien n'est fait) et propose un programme correctif pour chaque posture. Dans ce livre, nous allons aller plus loin. Je vous propose une **stratégie de renforcement mus-culaire du centre du corps adaptée à votre posture**. Il y aura ainsi essentiellement deux stratégies :

• l'une conviendra aux postures de type 1,

• l'autre aux postures de type 2 et 3.

Remarque : les postures 4 et 5 décrites dans *Un corps sans douleur* sont des postures secondaires dites de compensation. Elles découlent des trois postures de base, c'est la raison pour laquelle nous nous concentrerons dans cet ouvrage sur les postures 1, 2 et 3.

Posture de type 1

Les fléchisseurs de hanches tirent le bassin vers l'avant provoquant une antéversion (cambrure du bas du dos importante). Les érecteurs de la colonne tire le bassin vers le haut l'entraînant également en antéversion.

Cette posture du bassin est très caractéristique des sportifs mais pose quatre problèmes majeurs :

1• Les muscles fessiers ne fonctionnent pas de façon optimale dans cette position, ce qui force les muscles ischio-jambiers et adducteurs à compenser aboutissant à de nombreux « claquage » et tendinites de ces deux groupes musculaires.

2• Les fessiers sont responsables de l'extension vers l'arrière de la hanche et lorsque vos fessiers ne fonctionnent pas bien pour produire ce mouvement, ce sont les muscles du bas du dos qui compensent pour produire ce qui ressemble à une extension de hanche mais qui est en fait une extension du dos. Ces personnes se cambrent encore plus !

3• Des fessiers fonctionnant moins bien peuvent aussi être à l'origine de douleur devant la hanche donnant faussement l'impression d'une cruralgie (bien que cela puisse en être réellement une). Dans ce cas le mauvais fonctionnement des muscles fessiers permet à la tête du fémur de glisser légèrement vers l'avant de la capsule articulaire provoquant des douleurs dans l'aine.

4• Le mauvais positionnement du bassin entraîne un dysfonctionnement de toute l'unité profonde ce qui diminue la stabilisation de la région lombaire et du bassin et renforce les compensations musculaires que nous venons de décrire.

Les personnes ayant une posture de type 1 (bassin en antéversion) trouvent souvent le travail des abdominaux difficile. En dépit d'une posture cambrée avec des fesses musclées, elles peuvent avoir des courbatures prononcées au niveau des fessiers ou des crampes importantes et/ou fréquentes au niveau des ischio-jambiers (arrière de la cuisse) indiquant encore plus clairement le dysfonctionnement des muscles fessiers.

Les postures de type 2 et 3

A l'avant, le grand droit de l'abdomen et les obliques externes sont trop toniques et trop courts. À l'arrière de la cuisse, les muscles ischio-jambiers sont aussi trop toniques et trop courts. À l'avant les abdominaux ont tendance à faire remonter le bassin alors qu'à l'arrière les ischios jambiers ont tendance à le tirer vers le bas ce qui provoque une rétroversion du bassin et un effacement de la cambrure lombaire plus ou moins marqué.

Cette position du bassin pose quelques problèmes.

L'effacement de la cambrure lombaire renforce la propension du corps à utiliser la flexion lombaire dans de nombreux mouvements. Or nos disques vertébraux n'apprécient guère ce type de traitement. Ils les apprécient d'autant moins que l'on rajoute du poids comme en musculation dans la mesure où la position assise met déjà beaucoup trop fréquemment la colonne en flexion. Les sportifs ayant le bassin dans cette position sont beaucoup plus exposés aux hernies discales.

L'effacement de la cambrure lombaire, la postériorisation du bassin, provoquent une augmentation de la cyphose dorsale : le dos est voûté, la tête part vers l'avant. Cela conduit généralement à une mauvaise respiration, des douleurs dans le haut du dos, de la nuque et éventuellement des problèmes d'épaules !

Les personnes ayant une posture de type 2 et 3 (rétroversion du bassin) trouvent généralement le travail des abdominaux facile et peuvent faire des séries très longues sans pour autant sentir les abdos beaucoup travailler. Elles ont un développement fessier peu important (attention de faire la distinction entre les muscles fessiers et la graisse qu'il y a dessus).

LE PARADOXE DES ÉTIREMENTS

Comme nous venons de le voir, l'équilibre des tensions autour du bassin est la condition *sine qua non* d'une bonne posture. Ce livre traite du renforcement musculaire du centre mais quid des étirements ? Très souvent, les gens s'étirent pensant bien faire sans prêter attention à l'équilibre du bassin et au final peuvent faire plus de mal que de bien. En effet le risque est élevé d'accroître les déséquilibres. Les sportifs dans les disciplines qui demandent une bonne souplesse de hanche multidirectionnelle comme les arts martiaux ou les sports de combat, la gymnastique acrobatique, l'athlétisme, les différentes danses, le football, le rugby, le tennis... en font souvent les frais.

Les étirements sont d'une importance capitale pour bien récupérer et prévenir les blessures. Néanmoins il convient avant tout de s'étirer selon son type postural (la bonne pratique des étirements fera prochainement l'objet d'un ouvrage dans cette collection).

QUELLES SONT LES CONSÉQUENCES DU MAL DE DOS SUR LE CENTRE ?

La réponse naturelle du corps à la douleur est connue sous le nom de réponse *startle* ou encore réflexe de flexion. Ce réflexe nous ramène instinctivement en position fœtale qui est une position de sécurité. Ainsi, lors d'une situation douloureuse physiquement ou émotionnellement, le corps se met automatiquement en position de flexion : tous les fléchisseurs de hanches se contractent. Cette action n'est possible que si les extenseurs de la colonne sont inhibés. Or parmi les extenseurs de la colonne on retrouve le transverse de l'abdomen (muscle de l'unité profonde) dont on connaît le rôle de stabilisateur profond de la colonne et du bassin.

En cas de douleurs de dos chroniques, le transverse est inhibé chroniquement et s'atrophie. Le corps met en place des compensations. Sans rééducation spécifique, les compensations sont maintenues, aboutissant à moyen terme à une « amnésie musculaire » des muscles inhibés et à leur atrophie.

La douleur favorise une « ré-écriture » des schémas moteurs beaucoup plus rapide que n'importe quel autre stimulus d'apprentissage. Ce qui permet également de comprendre que la douleur favorise très rapidement (quelques heures ou quelques jours) la création de schémas moteurs compensatoires, alors que toute reprogrammation motrice et musculaire peut prendre des semaines ou des mois simplement car le corps ne « bénéficie » pas de la douleur comme accélérateur de reprogrammation.

A noter également que les médications à base de paracétamol et les anti-inflammatoires non stéroïdiens (les plus classiques) provoquent une inhibition de l'unité profonde ; le paracétamol provoquant généralement une forme de constipation et les anti-inflammatoires induisant une inflammation de la paroi intestinale (perméabilité intestinale dont nous allons parler plus loin). Paracétamol et anti-inflammatoires non stéroïdiens conduisent tous deux dans la majorité des cas à un réflexe d'inhibition viscero-somatique de la portion basse des muscles de l'unité profonde. C'est la raison pour laquelle je préfère des alternatives anti-inflammatoires naturelles à l'instar du curcuma, du gingembre. Nous y reviendrons dans la partie Agir.

Un point commun : le dysfonctionnement de l'unité profonde !

Quel que soit le type de posture (bassin en antéversion ou rétroversion du bassin), ces deux (mauvaises) positions du bassin entraînent une altération du bon fonctionnement de l'unité profonde et par ricochet, de l'unité superficielle. Plusieurs muscles de l'unité profonde ne font plus correctement leur travail entraînant de nombreuses compensations de la part de l'unité superficielle. Quel que soit votre type de posture, tout programme de renforcement musculaire du centre doit inclure **une reprogrammation de l'unité profonde**.

CONCLUSION

Ce livre vous propose une stratégie de renforcement du centre du corps adaptée à votre posture. Cette stratégie passe inéluctablement par la détermination de vos points faibles (intolérance à la flexion ou intolérance à l'extension) et par une reprogrammation de l'unité profonde afin d'améliorer le positionnement du bassin.

Un programme de renforcement du centre du corps doit être avant tout **fonctionnel**. Renforcer le centre doit servir à lutter contre les effets de la position assise, à améliorer la posture générale, à améliorer la gestuelle quotidienne et éventuellement les performances sportives. L'esthétique de la sangle abdominale n'est « que » la cerise sur le gâteau d'un bon programme de renforcement du centre et d'une nutrition adaptée.

CHAPITRE 3

LE CENTRE DU CORPS, CENTRE DE LA RESPIRATION ET DE LA DIGESTION

L a respiration étant prioritaire sur la posture pour la survie, et le système nerveux étant extrêmement sensible à toute diminution de l'apport en oxygène, il est très fréquent de constater des altérations posturales en vue de favoriser la respiration.

Le dérèglement postural le plus fréquemment associé à une limitation de la respiration est la tête qui part vers l'avant, une compensation posturale qui peut intervenir quel que soit le type de posture initial (type 1, 2 ou 3).

Inversement, une mauvaise posture peut être à l'origine d'une gêne respiratoire en réduisant les mouvements de la cage thoracique. C'est le cas des postures de type 2 et 3. Plus la tête migre vers l'avant, plus le dos est voûté (cyphose dorsale) afin de maintenir le centre de gravité en place. Le bassin, lui, part vers l'avant et les genoux partent vers l'arrière en hyperextension. Ce dérèglement postural réduit les mouvements de la cage thoracique et des côtes, forçant le muscle diaphragme à travailler beaucoup plus. Or le diaphragme est un muscle-clé de la respiration. Divisant le tronc en deux à la hauteur des côtes inférieures, c'est un des muscles les plus puissants du corps.

DES CONSÉQUENCES SUR LE TRANSIT

La respiration est une alternance rythmée d'inspirations et d'expirations. Ce mouvement entraîne la masse abdominale dans un flux et reflux continuels, une succession de contractions et de relâchements. Ce brassage facilite et régularise les fonctions de digestion (assimilation des aliments et élimination des déchets). Le mécanisme de la respiration a donc un rôle non négligeable dans le fonctionnement du système digestif.

OBJECTIF : REGAGNER LA MOBILITÉ DES VERTÈBRES

Si un sportif ayant une posture du type « tête qui part vers l'avant » (posture 2 et 3) renforce ses abdominaux par des crunchs intensifs, il va accentuer son dérèglement postural et par conséquent gêner davantage la respiration. Il est donc important de non seulement choisir des exercices adaptés à sa posture mais aussi parallèlement d'améliorer la mobilité de la cage thoracique et en particulier **la mobilité des vertèbres** au niveau thoracique (en extension et en rotation). La cage thoracique tend à perdre sa mobilité au fur à mesure que l'on avance en âge et ce, d'autant plus que l'on passe beaucoup de temps assis : des points musculaires douloureux (*trigger points*) se forment, les fascias (tissus conjonctifs) sont de plus en plus denses. Pour récupérer cette mobilité perdue, il existe de nombreux exercices. Nous les détaillerons dans la partie pratique.

Nous venons de voir l'importance de la sangle abdominale dans la stabilisation du bassin, de la colonne vertébrale puis dans le fonctionnement de l'appareil respiratoire. À présent nous allons nous intéresser à son rôle vis-à-vis de l'intestin.

QUAND L'INTESTIN SOUFFRE, LA COLONNE SOUFFRE

L'intestin se situe derrière les muscles abdominaux. Or il faut savoir que les nerfs qui innervent l'intestin empruntent les mêmes chemins que ceux qui innervent les abdos (les muscles abdominaux reçoivent et renvoient leurs informations via des nerfs situés entre la 5e vertèbre dorsale et la première vertèbre lombaire). Ceci implique que quand l'intestin souffre comme lors d'une colite (inflammation du côlon), le cerveau a du mal à discerner si c'est un muscle ou un organe de cette région qui souffre. En conséquence, le cerveau détermine le segment de la colonne d'où provient le signal et envoie en retour l'ordre d'agir pour calmer l'inflammation dans cette zone. Sur le plan musculaire, cela se traduit par une inhibition des muscles de cette région. Le transverse de l'abdomen, le petit oblique, le carré des lombes, le psoas sont inhibés et perdent leur tonus. Résultat : la colonne n'est plus correctement stabilisée à cet endroit-là.

LES SPORTIFS SONT SENSIBLES DES INTESTINS

Ce qui précède est d'une importance capitale car bon nombre de sportifs ont des problèmes intestinaux au premier rang desquels les coureurs à pied. Des efforts de longue durée, la déshydratation, une alimentation déséquilibrée (trop riche en glucides ce qui, à la longue, perturbe la flore intestinale)... tous ces facteurs augmentent la perméabilité de l'intestin et déclenchent un état inflammatoire donnant lieu à des troubles digestifs (ballonnements, flatulences, diarrhée).

Les intolérances alimentaires ont exactement les mêmes conséquences. Il s'agit d'allergies d'un type particulier, différent de l'allergie immédiate comme l'allergie au crabe par exemple (celle-ci se manifeste, comme son nom l'indique, immédiatement après un contact avec l'aliment-allergène ; le gonflement des lèvres, la gorge nouée, une éruption cutanée, l'asthme en sont les signes typiques). Contrairement à l'allergie immédiate, les symptômes de l'intolérance alimentaire se manifestent longtemps après l'ingestion de l'aliment-allergène. Les intolérances alimentaires ont pour origine une perméabilité trop grande de la paroi intestinale. La plus fréquente est l'intolérance au gluten (maladie cœliaque). Le gluten est une protéine du blé que l'on retrouve dans le pain, les pâtes, les biscuits. Des fragments de cette protéine passent trop facilement la barrière intestinale et se retrouvent dans le sang. Outre une réponse immunitaire, ces fragments vont déclencher un état inflammatoire. Les symptômes ne sont pas forcément d'ordre digestif. Le plus souvent, le diagnostic de maladie cœliaque est posé suite à des symptômes indirects comme une carence en fer ou des troubles annexes comme des maux de tête, des douleurs musculaires ou articulaires, des infections ORL chroniques...

A noter que l'on peut tolérer un aliment pendant des années et un jour devenir intolérant à cet aliment en raison d'une consommation excessive ou trop routinière (intolérance au lactose avec les laitages, intolérance au gluten avec les pâtes).

La prise d'anti-inflammatoires au long cours n'arrange rien. Ces médicaments augmentent la perméabilité intestinale.

(Pour en savoir plus, lire *Quand l'intestin dit non* du Dr Jacques Médart aux éditions Thierry Souccar.)

DUR DUR D'AVOIR DES TABLETTES DE CHOCOLAT

En cas d'inflammation chronique de l'intestin comme lorsque l'on est atteint de maladie cœliaque ou la maladie de Crohn, force est de constater qu'il est plus difficile d'avoir des tablettes de chocolat. En effet, tout état inflammatoire au niveau intestinal entraîne un gonflement de l'abdomen, des phénomènes de rétention d'eau localisés... des désagréments qui compliquent fortement la tâche aux personnes en quête d'une plastique parfaite.

Il existe aujourd'hui des tests (souvent très onéreux) qui permettent de déterminer avec plus ou moins d'efficacité les aliments auxquels on est intolérant. Un moyen simple de lutter contre les intolérances alimentaires (les soigner ou les prévenir car elles peuvent survenir à n'importe quel âge) est de pratiquer un régime par rotation. Nous verrons les détails de ce régime alimentaire dans la partie Agir.

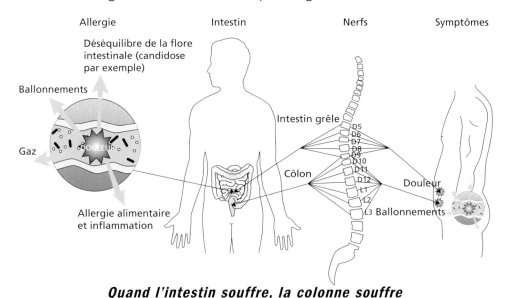

Quand l'intestin souffre, la colonne souffre

CHAPITRE 4

LA SCIENCE DE LA PERTE DE GRAISSE

C e chapitre est là pour vous aider à comprendre les secrets des plus beaux abdos ! Certes, le travail musculaire abdominal est indispensable mais malheureusement ça n'est pas suffisant. Comment perdre ce fameux bourrelet, petit mais tenace, au niveau du ventre ?

En matière de graisse corporelle, nous ne sommes pas tous égaux. Il y a des personnes qui, en dépit d'un grand appétit, restent sveltes et à l'opposé, des personnes qui grossissent simplement à la vue d'un carré de chocolat ! Comment expliquer cette différence ?

Les « sveltes » ont un meilleur « rendement de combustion » ; elles utilisent mieux lcs calories issues des aliments, ce qui fail que leur corps n'a pas à stocker de surplus d'énergie sous forme de graisse.

Certes, les gènes sont en cause dans cette inégalité mais pas seulement. Que le métabolisme ait tendance à brûler des calories ou au contraire qu'il ait tendance à les stocker dépend en premier lieu des gènes. Et contre eux malheureusement on ne peut rien. Toutefois il est possible d'influer sur le métabolisme et de contrer la fatalité premièrement grâce à une activité physique qui développe la masse musculaire et deuxièmement grâce à une **nutrition adaptée**.

• Au repos, les muscles sont plus gourmands en énergie que la graisse. En augmentant sa masse musculaire, on augmente du même coup son métabolisme de base, ses dépenses énergétiques au repos. On brûle plus de calories... sans rien faire.

• Certains exercices physiques favorisent la sécrétion d'**adrénaline**, une hormone brûleuse de graisse. Les exercices physiques intermittents c'est-à-dire des séances de sport qui alternent des efforts intenses et brefs avec des périodes de récupération provoquent la libération d'une grande quantité d'adrénaline. Ils favorisent la libération de sucre et de graisse de réserve et en même temps augmentent le métabolisme de base.

• Une nutrition adaptée permet de maîtriser la sécrétion d'**insuline**, une hormone qui régule la glycémie mais aussi qui favorise le stockage des graisses. Nous verrons que pour maîtriser son insuline, il faut privilégier les aliments à index glycémique bas.

• En complétant le programme de renforcement du centre de ce livre par d'autres activités sportives (course à pied, tennis, vélo...), vous augmentez votre sensibilité musculaire à l'insuline. Cela signifie que le sucre issu de votre alimentation va préférentiellement servir à recharger vos muscles au lieu de se transformer en graisse.

Même si certains d'entre nous sont plus gâtés que d'autres par la nature, par leur génétique, il faut garder à l'esprit que nous pouvons **tous** agir sur notre corps. Pour rester svelte et gagner de la masse musculaire, il faut apprendre au corps à mieux utiliser les calories issues de l'alimentation et cela passe par la maîtrise des hormones. Les hormones impliquées dans la combustion des graisses et le gain de masse musculaire sont l'insuline, le glucagon, la testostérone, l'hormone de croissance, le facteur de croissance IGF-1, les hormones thyroïdiennes, l'épinéphrine, les œstrogènes, le cortisol, l'adrénaline, la leptine ainsi que les neurotransmetteurs comme la dopamine, la sérotonine le GABA... Tout cela oui ! Rassurez-vous, nous n'allons pas faire de vous un endocrinologue, mais il est important que vous compreniez au minimum votre système hormonal afin de mieux comprendre les orientations alimentaires nécessaires pour avoir un ventre plat et des tablettes de chocolat !

BOOSTEZ VOTRE ADRÉNALINE

L'**adrénaline** est une hormone « excitatrice ». Elle fait partie d'une classe de molécules appelées catécholamines à laquelle appartiennent la noradrénaline et la dopamine, des messagers chimiques du cerveau responsables de l'action, de la motivation, de « l'envie de ».

L'adrénaline augmente nos dépenses énergétiques en augmentant notre métabolisme de base, c'est-à-dire l'énergie minimale requise pour le fonctionnement de l'organisme (respiration, mouvement, digestion, réflexion etc). Grâce à l'adrénaline, notre « chaudière interne » dépense plus d'énergie qu'il n'en faut réellement et ce sont les graisses de réserve qui fournissent l'essentiel du combustible.

Comment dans ce cas booster son adrénaline ? L'adrénaline est sécrétée en réponse à n'importe quel stress : examen, colère, rendez-vous amoureux... mais aussi exercices physiques. Plus le stress physique est intense, plus la sécrétion d'adrénaline est importante. Cela m'amène à remettre en cause une idée reçue : l'idée selon laquelle les exercices d'endurance sont les plus efficaces pour perdre de la graisse. En réalité, ce sont les efforts physiques intenses qui sont les plus rentables. Les exercices cardiovasculaires intenses (travail intermittent) sont plus efficaces pour perdre de la graisse que les exercices cardiovasculaires d'endurance, des exercices de longue durée et de moindre intensité. Durant un effort intense, la sécrétion d'adrénaline est plus importante. La combustion des graisses augmente non seulement durant l'exercice mais également après, grâce au mécanisme physiologique appelé EPOC (pour *Excess Post-exercise Oxygene Consumption*). La dépense d'énergie augmente sensiblement après l'exercice et ce surcroît de calories brûlées provient des lipides. La combustion des graisses s'élève au repos. Cette augmentation du métabolisme peut être mesurée jusqu'à 48 heures après une séance d'efforts intenses. Ces séances sont très éprouvantes physiquement et mentalement, mais elles apportent des résultats incroyables en termes d'esthétique et de performances physiques.

La majorité des compléments alimentaires « brûleurs de graisse » agissent en mimant l'action de l'adrénaline et de la noradrénaline (*Citrus aurantium* par exemple).

Avec un niveau d'adrénaline sanguin élevé (et/ou une sensibilité élevée), vous aurez non seulement un métabolisme fonctionnant plus vite, mais également une capacité plus grande à brûler les graisses de réserve.

LES AVANTAGES D'ÊTRE UN HOMME

Une des raisons qui explique la facilité plus importante des hommes à perdre de la graisse par rapport aux femmes (particulièrement avant 30 ans) est liée à la présence plus importante de testostérone qui augmente la densité des récepteurs d'adrénaline au niveau des cellules graisseuses.

MAÎTRISEZ VOTRE INSULINE

Une alimentation équilibrée fournit des protéines, des glucides et des lipides. L'organisme utilise les protéines comme « matériau de construction », les glucides et les lipides comme combustible pour fournir de l'énergie. Mais il a une préférence. Si l'organisme dispose à la fois de glucides et de lipides, ce sont les glucides qu'il va prioritairement « brûler ». En effet, pour assimiler le glucose, le pancréas sécrète de l'insuline. L'insuline, comme une clé dans une serrure, permet au sucre d'entrer dans les cellules. Une partie de ce sucre est directement utilisée pour produire de l'énergie, une autre est stockée au niveau du foie et des muscles sous forme de glycogène. Mais l'insuline est une hormone puissante. En même temps qu'elle stimule la combustion du glucose, elle bloque la combustion des graisses.

Pour éliminer un bourrelet tenace sur le ventre et les hanches, il faut que l'organisme ait toute latitude pour mobiliser les graisses de réserve, ce qui est incompatible avec des taux d'insuline élevés. Pour réussir à puiser dans les réserves de graisses, il est important d'éviter les pics répétés d'insuline qui empêchent l'organisme d'accéder à ces réserves.

Comment contenir son taux d'insuline ? Il y a deux moyens : le premier est de veiller à la qualité et à la quantité des glucides consommés en privilégiant les glucides d'index glycémique bas (lire encadré), le second est d'accroître la sensibilité de ses muscles à l'insuline et pour cela, il faut faire travailler ses muscles en ayant une activité sportive régulière

L'INDEX GLYCÉMIQUE

Tous les glucides, qu'ils soient simples ou complexes, provoquent un pic de glycémie 30 minutes après leur ingestion. Seulement l'amplitude de ce pic est plus ou moins grande. Cette amplitude ne dépend absolument pas de la structure simple ou complexe des glucides, elle dépend d'autres facteurs. L'index glycémique mesure cette amplitude (maximum pour le glucose IG=100). Les aliments raffinés comme le pain blanc, le pain de mie, les céréales du petit déjeuner type corn flakes ou riz soufflé, certains biscuits ont un IG élevé (>70). Les aliments peu transformés comme le boulgour, les pâtes *al dente*, les flocons d'avoine, les légumes secs ont un IG modéré à bas (<70).

tout simplement. Lorsque l'on fait du sport, on puise dans les réserves énergétiques des muscles (le glycogène). Lorsque l'on consomme des glucides, nous l'avons vu, l'insuline est sécrétée par le pancréas et libérée dans le sang. Chez un sportif, l'insuline activera la reformation du glycogène musculaire. Chez un sédentaire, elle favorisera le stockage des graisses.

ÉVITEZ LES REPAS RICHES EN GLUCIDES LE SOIR

À moins que vous ne fassiez du sport le soir, il est important d'éviter une grande consommation d'aliments riches en glucides (quel que soit l'IG, élevé ou bas) le soir. En effet, le métabolisme énergétique et la sensibilité au glucose baissant durant la nuit, un apport important d'énergie le soir peut être plus facilement transformé en graisse. De plus, cela peut perturber la sécrétion de certaines hormones.

EN RÉSUMÉ COMMENT PERDRE DE LA GRAISSE

Il y a trois leviers que l'on peut actionner en même temps.

Faire de l'exercice intensif. L'activité sportive est un puissant stimulateur d'**adrénaline**. Plus l'activité est intense, mieux c'est. Cela ne signifie pas qu'il faut s'entraîner 7 jours sur 7 intensément. Nous verrons dans la partie Agir comment procéder.

Diminuer les sécrétions d'**insuline**. Des niveaux d'insuline bas favorisent une mobilisation accrue des graisses de réserve ce qui explique l'efficacité des séances d'endurance réalisées le matin à jeun. Nous verrons cependant que ce genre de séance bien que très efficace n'est pas forcément souhaitable.

Utiliser les **compléments alimentaires** ou les excitants à bon escient. Certains compléments « brûleurs de graisse » tout comme le café ou le thé provoquent eux aussi une libération importante d'adrénaline (ou mime son action). Il est cependant important de planifier leur utilisation sur des périodes courtes (6 à 8 semaines) et de toujours garder un jour ou deux hebdomadaires sans stimulant (café et thé compris) particulièrement si vous vous sentez fatigué car ils masquent la fatigue et provoquent un épuisement encore plus profond.

DES STIMULANTS EFFICACES, MAIS AVEC DU SPORT !

Le café, le thé, les compléments alimentaires « brûleurs de graisse » fonctionnent seuls, mais un temps seulement. En effet ils émoussent progressivement la sensibilité à l'insuline de vos cellules musculaires. Cela signifie qu'avec le temps, vos cellules musculaires vont avoir de la difficulté à remplir leurs stocks de sucre (glycogène) et d'acides aminés nécessaires à la reconstruction musculaire et à la récupération. De même ne croyez pas pouvoir vous autoriser des tartines de Nutella devant la télé sous prétexte que vous buvez beaucoup de café. Cela ne marche pas. Oui aux stimulants mais toujours accompagné de sport !

POURQUOI LES RÉGIMES HYPOCALORIQUES NE SONT PAS LA SOLUTION

Le premier conseil que l'on donne à celles et ceux qui veulent mincir, c'est de manger beaucoup moins afin d'amener l'organisme à puiser dans ses réserves. C'est le principe des régimes basses calories (1 200 kcal/j) ou très basses calories (800 kcal/j).

L'organisme accueille un régime hypocalorique comme une période de famine. Dans un premier temps, le poids chute car le corps puise dans ses réserves. Après quelques semaines, il se stabilise car l'organisme s'est adapté à cette brusque disette en réduisant ses dépenses d'énergie. À la reprise d'une alimentation normale, l'organisme s'empresse de reconstituer ses réserves. Comme il réadapte très lentement son métabolisme de base à cette nouvelle donne énergétique, la prise de poids est inévitable. Les régimes hypocaloriques sont efficaces à court terme. Ils permettent de perdre 3 à 4 kg tout au plus mais à la reprise d'une alimentation normale, les kilos réapparaissent. Ainsi, les personnes qui suivent ces régimes amaigrissants de manière chronique sont victimes de ce qu'on appelle communément : l'effet yoyo.

POURQUOI ON CRAQUE OBLIGATOIREMENT AU BOUT DE QUELQUES TEMPS

Parce que ces régimes « affolent » les hormones régulatrices de l'appétit (leptine, ghréline, dopamine, sérotonine, GABA, neuropeptide Y...) et laissent l'organisme dans un état de faim permanent.

Prenons l'exemple de la leptine. La leptine est une hormone de la satiété. Elle est produite par le tissu graisseux. En temps normal, lorsque les réserves adipeuses sont suffisantes, la leptine produite prévient le cerveau qui donne l'ordre de ne plus manger. Lors d'une restriction calorique, les réserves de graisses diminuent et ce faisant, abaissent le taux de leptine. L'organisme en réaction réduit le métabolisme de base (il ralentit la chaudière), il réduit l'oxydation des graisses, et le cerveau intime l'ordre de manger : un neurotransmetteur puissant de l'appétit est sécrété massivement dans le cerveau, le neuropeptide Y. Résultat : la faim est là qui tenaille l'estomac. Il est très difficile de suivre un tel régime sur le long terme dans ces conditions. Tôt ou tard, on craque. L'organisme cherche à retrouver une situation d'équilibre et malheureusement en général il le fait avec les mauvais aliments, pas avec une assiette d'haricots verts ! L'organisme est attiré par des aliments gras et sucrés parce que ce sont des aliments agréables et parce qu'une région du cerveau est programmée pour « récompenser » l'exécution de fonctions vitales (ici le refueling énergétique) par une sensation agréable.

Nous verrons dans la partie Agir comment parvenir à un amaigrissement sans altérer l'équilibre hormonal donc sans les effets négatifs d'un régime trop strict (lire encadré). Cela passe par un programme alimentaire bien mené, de l'exercice physique bien planifié et une hygiène de vie soignée (automassage, correction posturale, sommeil de qualité, exercices de relaxation).

LES EFFETS NÉGATIFS D'UN RÉGIME TROP STRICT

Vous avez tout le temps faim et vous craquez sur des aliments gras et sucrés.

Vous avez une courbe de réponse au glucose hypoglycémique (vous mangez par exemple un repas ou une collation riche en glucides et une heure plus tard vous avez toujours faim !)

Si vous êtes une femme, votre cycle menstruel peut être perturbé.

Vous êtes plus sensible au froid ou avez tout le temps froid (lié aussi à la baisse de l'activité de la thyroïde)

Vous êtes de mauvaise humeur, irritable, dépressif, vous n'avez envie de rien sinon de vous isoler.

Vous regagnez rapidement de la graisse lorsque vous remangez.

Vous êtes fatigué voire très fatigué.

Vous sentez une baisse de force, de puissance et d'endurance si vous faîtes du sport.

AGIR

CHAPITRE 1

PROGRAMME DE RENFORCEMENT DU CENTRE

Le centre forme un tout et doit toujours être travaillé de manière globale, quel que soit l'objectif poursuivi. L'erreur la plus commune est de croire que seul le travail des abdominaux superficiels est suffisant parce que ce sont eux qui sont apparents.

Toute la complexité du travail des abdominaux et du centre du corps réside dans l'interaction qui existe entre l'unité profonde, l'unité superficielle, les viscères et la respiration. Le centre forme un tout et cela est valable chez tout le monde. Ainsi, la stratégie de renforcement du centre sera exactement la même, qu'il s'agisse d'une personne qui cherche à soulager un mal au dos, d'un sportif ayant besoin d'un centre du corps puissant et fonctionnel pour encaisser des impacts violents (rugby, sports de combat par exemple), ou encore d'une femme ou d'un homme qui veut une superbe sangle abdominale pour l'été.

La seule différence dans la méthode se fera au niveau de l'intensité de l'entraînement et de l'importance des sacrifices alimentaires à consentir.

Le programme de renforcement du centre que je vais présenter ici est basé sur une progression logique autour du type de posture : posture de type 1 (bassin en antéversion) ou de type 2/3 (bassin en rétroversion). Je rappelle que le but de ce programme est d'être **fonctionnel avant d'être esthétique**. Il va vous aider à :
• corriger des déséquilibres musculaires,
• améliorer la posture générale,
• lutter contre les effets de la position assise,
• améliorer la gestuelle quotidienne,
• améliorer des performances physiques et sportives.

Ce n'est pas parce qu'un motard chute dans la pratique de son sport que l'on doit l'entraîner à chuter. De la même façon ce n'est pas parce qu'un joueur de rugby est plaqué par deux adversaires lors d'un match qu'on va habituer son corps et sa colonne vertébrale à être cisaillés de la sorte. En revanche entraîner le corps à devenir rigide comme le chêne à un instant donné puis relâché et souple comme le bambou pour bouger librement et efficacement l'instant d'après, doit être l'objectif d'un bon programme du centre du corps. C'est la logique poursuivie dans ce livre. L'esthétique de la sangle abdominale découlera naturellement de ce programme si vous prenez soin parallèlement de votre alimentation.

Ce livre comme tous les autres ouvrages de la collection *Mon coach remise en forme* vous propose une trame, une base de travail. Il permet à tout individu maîtrisant un peu l'anatomie de conceptualiser son propre programme en fonction des outils à sa disposition.

PROGRESSION LOGIQUE DU TRAVAIL DU CENTRE DU CORPS

• On doit commencer par « reconnecter » les muscles amnésiques, puis les renforcer et enfin les intègrer dans une chaîne musculaire.
• On doit toujours partir du sol pour progressivement être capable de rester gainé dans une action sportive en mouvement.
• On doit toujours partir d'un exercice où le corps est stable pour aller vers la logique du mouvement en constant déséquilibre.

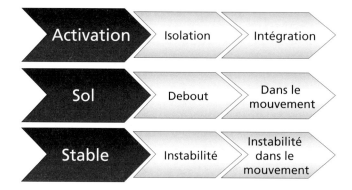

Cette progression, je l'ai conçue et répartie en 3 phases d'exercices.

La phase 1 a pour objectif de reprogrammer les bons schémas moteurs

Les exercices de cette phase consistent à :

- déterminer la posture dominante,
- corriger les amnésies musculaires,
- augmenter la stabilité articulaire localement en rééduquant l'unité profonde et superficielle,
- apprendre à bouger à partir des hanches et du thorax plutôt que du bas du dos (les lombaires),
- assimiler le principe de la position neutre de la colonne vertébrale.

La phase 2 a pour objectif d'améliorer la force et l'endurance du centre

Les exercices consistent à :

- augmenter la stabilité articulaire globalement,
- augmenter la force et l'endurance de stabilisation locale et globale, c'est-à-dire la capacité à maintenir une ou plusieurs articulations gainées (tenues).

La phase 3 a pour objectif la préparation du centre à la compétition

Les exercices consistent à :

- augmenter la force du centre du corps,
- coordonner la force du centre du corps avec des mouvements globaux exécutés en force et/ou en vitesse.

RAPPEL SUR LE BON USAGE DE VOTRE COLONNE

Attention, le programme de ce livre peut en surprendre quelques-uns de prime abord. En effet, de nombreux exercices ne nécessitent pas de mouvement de la colonne vertébrale en flexion ou en rotation. En ce sens ils diffèrent sans doute grandement de la majorité des exercices que vous avez pu ou vu exécuter depuis des années. Il est important de comprendre que le centre du corps n'est qu'un lieu de transmission des forces entre le haut et le bas du corps, les bras et les jambes. Les mouvements de flexion ou de rotation devraient normalement se produire respectivement dans les hanches et dans le haut du dos. La région lombaire devrait, elle, être la région la plus stable de la colonne – d'ailleurs, le rôle principal de l'unité superficielle est d'empêcher des mouvements trop importants en flexion ou en rotation de la colonne vertébrale dans cette région.

Malheureusement bien souvent nous ne savons plus pivoter au niveau des hanches car nous n'avons plus la souplesse au niveau de ces articulations pour le faire. Même chose en ce qui concerne la partie haute de la colonne et des épaules. Par conséquent nous sollicitons exagérément nos lombaires (d'où la grande fréquence des hernies discales dans cette zone).

CHAPITRE 2

REPROGRAMMER LES BONS SCHÉMAS MOTEURS (PHASE 1)

C'est la base, la fondation de tout travail du centre du corps. Dans un premier temps, vous devez déterminer votre type de posture c'est-à-dire la position dominante de votre bassin (antéversion ou rétroversion). De votre type de posture découleront les exercices des phases 2 et 3. L'objectif de cette phase est de corriger les dysfonctionnements de l'unité profonde qui sont présents chez 95 % des individus.

Les exercices de cette phase seront communs à toutes les personnes.

Étape 1 : déterminez votre posture

Positionnez-vous dos à un mur talons éloignés de 20 cm environ, en faisant toucher **sans forcer** vos fesses. Essayez de faire passer une main dans le bas du dos au niveau des lombaires.

Plusieurs cas sont possibles :

• Votre bas du dos est largement décollé du mur, vous pouvez passer facilement une main entre le mur et votre dos, votre nuque ainsi que votre tête sont largement décollées. Vous avez clairement une posture 1.

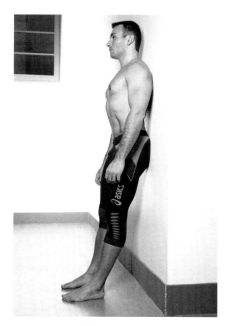

Posture 1

Posture 2

Posture 3

Posture normale

• Vous pouvez passer une main entre le mur et votre dos, mais votre tête est largement décollée. Vous avez une posture 2.

• Vous ne pouvez pas passer une main entre le mur et votre dos et votre tête est décollée du mur. Vous possédez une posture 3.

• Vous pouvez passer une main entre le mur et votre dos, votre tête est collée au mur. Vous avez une posture normale ce qui est rare.

Comme nous l'avons vu dans la première partie, l'unité profonde est dysfonctionnelle chez la majorité des individus, quelle que soit la posture dominante. C'est la raison pour laquelle cette phase 1 du programme est commune à toutes les personnes. L'objectif est une **rééducation neuromusculaire** de l'unité profonde qui ira bien souvent de pair avec le rétablissement d'un fonctionnement optimal de la sphère digestive. En effet, toute inflammation de la sphère digestive a des répercussions sur l'ensemble de l'unité profonde, l'unité superficielle ainsi que sur l'état inflammatoire des muscles et des articulations (lire page 32). Cet aspect est malheureusement trop souvent négligé. Nous y reviendrons.

Des mouvements primaires pour rééduquer unités profonde et superficielle

Les exercices de la phase 1 feront grandement appel à des mouvements primaires, mouvements en position allongée ou à quatre pattes, car ce sont les positions dans lesquelles le bébé apprend à stabiliser le centre de son corps et l'ensemble de ses articulations. En effectuant des mouvements proches de ceux que les bébés font pour développer leur unité profonde en combinaison avec l'apprentissage de la station debout puis de la marche, on permet au cerveau d'avoir accès à des programmes moteurs innés. Cette rééducation est parfois longue. Elle peut s'étaler sur plusieurs mois. Aussi, en fonction de votre posture dominante, vous retrouverez certains exercices de cette phase dans les phases suivantes. La planification de l'entraînement devra prévoir de revenir à cette phase périodiquement. Ce « retour aux sources » sera d'autant plus nécessaire que vous souffrirez d'un mal au dos chronique.

DES EXERCICES LENTS

Bien que le corps fonctionne comme une seule et même entité, certains exercices de ce niveau viseront un travail isolé des muscles de façon à améliorer la coordination (la liaison) entre le cerveau et les muscles de cette zone. Ils s'exécuteront de façon **lente** ou en alternant travail statique et travail dynamique lent. La raison principale se situe au niveau des fibres musculaires qui composent les muscles de l'unité profonde. Ces fibres musculaires sont très majoritairement des fibres **lentes** car les muscles de l'unité profonde sont des muscles de maintien articulaire et posturaux. À ce titre ils doivent être capables de se contracter longuement ou très souvent sans se fatiguer à outrance. À l'inverse, les muscles de l'unité superficielle sont majoritairement des muscles à contraction rapide.

Dans certains cas, cela peut être compliqué, dans la mesure où les muscles que l'on cherche à activer et renforcer sont des muscles profonds qui fonctionnent normalement de façon inconsciente comme les muscles du plancher pelvien (périnée). L'objectif de ces exercices lents est donc de :
1 • Rétablir la connexion cerveau/muscle.
2 • Ré automatiser l'activation musculaire lors d'actions quotidiennes et sportives.
3 • Ne plus y penser !

RÉAPPRENDRE À UTILISER SES HANCHES ET SON THORAX

La phase 1 a également pour objectif de réapprendre à bouger à partir des hanches et de la cage thoracique afin de préserver la région lombaire que nous sollicitons tous de façon exagérée alors que paradoxalement, elle est « conçue » pour être la région la plus stable de la colonne. Les lombaires ne possèdent normalement que 10 degrés de rotation naturelle, ce qui est peu. Or bien souvent on leur impose une rotation bien plus grande. On force régulièrement sur nos lombaires ce qui, à la longue, provoque une laxité des tout petits muscles maintenant les vertèbres notamment au niveau des charnières dorso-lombaire et lombo-sacrée (voir schéma page 50). Et plus une zone est laxe, moins elle est stable. L'articulation est plus mobile qu'elle ne le devrait. Le risque de blessure est plus important. Cette laxité provoque des frottements ou des mouvements « irritants » qui déclenchent des phénomènes inflammatoires.

La phase 1 comportera donc des exercices qui sollicitent les hanches et la zone thoracique de la colonne vertébrale. Ces exercices entraînent à la flexion ou la rotation au niveau des hanches et à la rotation ou l'extension de la partie haute de la colonne vertébrale. Cela permet d'apprendre à bouger tout en conservant une position neutre de la colonne vertébrale (lire encadré) et en intégrant la rééducation neuromusculaire.

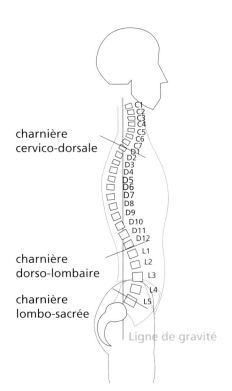

Une charnière fait la jonction entre 2 courbures de la colonne vertébrale.
C'est un carrefour qui dispose d'une plus grande mobilité et est donc plus fragile.

Cette phase du programme est parfois mal vécue par certains notamment par les sportifs de haut niveau qui ont du mal à en saisir l'utilité. Ils trouvent ces exercices ridiculement simplistes au regard de ce qu'ils réalisent lors de leur pratique sportive. Cependant ces exercices sont un passage obligé et il est indispensable de les pratiquer dans la durée afin de réinitialiser les bons schémas moteurs. Généralement les personnes maîtrisent assez rapidement les exercices au sol. Le problème c'est que dès qu'elles passent en position debout, elles reprennent immédiatement leurs mauvaises postures et continuent à utiliser leurs « mauvaises » compensations, signe que le programme moteur n'a pas été « installé » dans le cerveau en position debout.

Un bon programme de renforcement du centre doit se pratiquer dans une multitude de positions et de situations afin que le corps apprenne à bien synchroniser l'unité profonde et superficielle en toute circonstance. À ce titre précisons que ce livre ne peut couvrir toutes les possibilités de travail car elles sont infinies [multitude « d'outils » (sol, rouleau, swissball, haltères, barres, poids, élastiques, flexibar, etc.) et positionnements corporels très variés].

DÉFINITION DE LA POSITION NEUTRE DE LA COLONNE VERTÉBRALE

La position neutre de la colonne est une position qui se rapproche de la position idéale. La colonne est constituée de trois courbures plus ou moins prononcées. Dans le cas d'une posture 1 (personne très cambrée) la courbure au niveau des lombaires est excessive comme celle au niveau du haut du dos en sens inverse en guise de compensation. Dans une posture 2 ou 3 (personne ayant peu de cambrure lombaire) la courbure au niveau de la région lombaire est soit insuffisante (posture 2) soit quasi inexistante (posture 3).

Chercher à être en position neutre c'est chercher à se rapprocher de la courbure idéale : moins de cambrure lombaire pour la personne très cambrée et un peu plus pour la personne n'en n'ayant quasiment pas.

RENFORCER LES MUSCLES DE LA LANGUE, LA NUQUE ET DU COU

Comme nous passons de longues heures assis, le plus souvent à lire un écran (ordinateur, TV), des déséquilibres musculaires se créent au niveau du haut du dos et du cou qui ont tendance à tirer la tête vers l'avant. Et d'interminables séries d'abdos en se tenant la tête ou en forçant avec les muscles superficiels du cou n'arrangent rien. Un des déséquilibres les plus fréquemment observés est l'hypertonicité du muscle sterno-cléido-mastoïdien (un muscle superficiel du cou) par rapport aux muscles profonds autour des cervicales (notez que l'on retrouve encore cette notion d'unité profonde et superficielle). Parmi les muscles les plus affaiblis (amnésiques), on trouve toute la musculature qui mobilise la langue, ainsi que celle qui fléchit les cervicales ou au contraire qui provoque leurs extensions.

Pour vous en convaincre faites le test suivant : assis ou debout, cherchez à vous auto-grandir, placez votre tête légèrement vers l'arrière, puis exercez une pression avec vos mains sur votre front vers l'arrière, la bouche ouverte. Après juste quelques secondes (tout en continuant à exerçant la pression avec vos mains), appuyez simultanément et fortement votre langue au palais, contre vos incisives (les quatre premières dents de devant). Vous devriez immédiatement noter l'augmentation de force au niveau du cou pour résister à la pression de vos mains. C'est le même réflexe qui intervient lorsqu'on éternue (on colle la langue au palais en prononçant atchoum) pour éviter tout problème au niveau des cervicales.

Afin de renforcer cette musculature, il vous sera demandé dans certains exercices de coller la langue contre le palais, ou tirer la pointe du menton vers l'arrière pour favoriser un meilleur alignement de la courbure cervicale.

Il y aura également des exercices spécifiques qui visent à récupérer un bon fonctionnement des muscles du cou et de la nuque. Ceci est fondamental car d'après le principe des chaînes musculaires, il est vain de chercher à réaligner le centre du corps si une de ces extrémités (la tête) n'est pas solidement maintenue. La tête fait en moyenne entre 4,5 et 5 kg et dans de nombreuses disciplines sportives, ses mouvements sont extrêmement rapides, elle peut également encaisser des chocs violents (rugby, sport de combat, tête au football...).

PENSER À S'AUTOGRANDIR

Dans tous les exercices de ce niveau ainsi que dans ceux des niveaux supérieurs, vous devez chercher à vous autograndir c'est-à-dire chercher à éloigner le sommet du crâne et le sacrum (l'os pointu se trouvant entre les fesses !). Cette action devra être combinée à la contraction du périnée afin de garantir d'une part l'activation des muscles de l'unité profonde (transverse, plancher pelvien, petit oblique, muscles multifides) et d'autre part le maintien de la colonne en position neutre. Cette action globale s'automatisera à long terme, améliorant sa mise en action lors de vos mouvements quotidiens et des actions sportives. Il est en effet plus facile de se concentrer sur un mouvement (s'autograndir) que sur des muscles en particulier.

CHAPITRE 3

AMÉLIORER LA FORCE ET L'ENDURANCE DU CENTRE (PHASE 2)

L'objectif de cette phase est de développer la force et l'endurance localement et globalement. C'est à partir de cette phase que les programmes diffèrent selon le type de posture.

Cette phase permet d'agir spécifiquement sur la posture du bassin. Elle agira sur l'unité superficielle tout en renforçant l'unité profonde.

• La posture dominante de type 1 étant caractérisée par des muscles paravertébraux hypertoniques et des muscles fléchisseurs de hanche hypertoniques, **il est important de renforcer les muscles fessiers et de raccourcir la sangle abdominale**, particulièrement les fibres basses des petits et grands obliques afin de favoriser une bascule du bassin vers l'avant. S'il est vrai que la flexion de la colonne est préjudiciable à long terme, les personnes avec une posture de type 1 pratiqueront tout de même des exercices nécessitant une flexion de la colonne car leur bassin et leurs lombaires sont trop en extension.

• Pour les postures de type 2 et 3, c'est exactement l'inverse. Il est important de renforcer et de raccourcir les muscles érecteurs de la colonne et fléchisseurs de hanche tout en travaillant les muscles de la sangle abdominale et les muscles fessiers de façon statique afin de ne pas les raccourcir. Il est en effet primordial de ne pas encourager le mouvement de flexion de la colonne chez ces personnes qui y sont prédisposées.

Gardez en tête que **tout mouvement entraîne ou renforce un schéma moteur**.

TRAVAIL DANS LES 3 DIMENSIONS

La phase 2 prévoit des exercices à la fois au sol mais également debout car il est fréquent de constater que de nombreuses personnes savent contracter les muscles du centre du corps lorsqu'elles sont allongées mais n'y parviennent pas une fois debout. Or la position debout est une position fondamentale dans la vie quotidienne et dans la majorité des actions sportives. Pour cette raison, tous les exercices se pratiqueront sous forme de **circuits** faisant travailler le centre du corps de façon équilibrée dans les trois dimensions. Cet aspect du programme est très important ; il permet de récupérer, de maintenir ou d'augmenter l'équilibre, la force et l'endurance autour de votre posture du bassin. Le travail en circuit permettra de travailler les différents sous systèmes de l'unité superficielle de façon équilibrée. Sans cela, les personnes se focalisent sur les exercices dans lesquels elles sont le plus à l'aise, magnifiant ainsi les déséquilibres.

Vous découvrirez également différents niveaux de progression, toujours du plus facile au plus difficile. Mon conseil est alors de suivre la logique de chaque niveau afin de maintenir la force et l'endurance, l'équilibre entre les muscles agonistes et antagonistes autour de votre bassin. Dans la majorité des cas, vous découvrirez qu'il existe de vrais déséquilibres qu'il est important de corriger avant de passer au niveau supérieur.

Certains exercices apparaissent en phase 1 de la posture 1 mais sont intégrés également en phase 3 de la posture 2/3, et vice versa.

Rappelons que le but du programme du livre est d'amener chaque personne en fonction de sa posture dominante à se rapprocher de la posture idéale. Par conséquent certains exercices peuvent être communs, simplement ils doivent intervenir à des moments différents du programme pour donner la priorité à certains muscles et induire les bons schémas moteurs. **Il est important de respecter cette logique**.

INTÉRÊT DE TRAVAILLER AVEC DES ÉLASTIQUES

Plusieurs exercices de cette phase font appel à des bandes élastiques. Ces élastiques (qui peuvent être des tendeurs achetés en magasin de bricolage) présentent l'intérêt de proposer une résistance progressive à la tension favorisant, en prenant la bonne position, une mise en contraction presque immédiate des « bons muscles » (le bon schéma moteur) de même qu'une meilleure contraction musculaire, puisque du coup le cerveau « sent » les muscles qu'il doit activer.

De plus, les élastiques permettent de faire travailler le corps de façon très proche de ce qu'il rencontre dans la réalité, à savoir surmonter les forces de la gravité (verticales) et les forces horizontales liées au déplacement du corps ou d'un membre du corps à l'horizontale.

Les bandes élastiques permettent également de travailler avec des contractions rapides qui sont le mode de contraction privilégié des muscles de l'unité superficielle. Une fois la posture sous contrôle, vous devez effectuer les mouvements avec une certaine vitesse car ce sont les contraintes qui s'exerceront sur les muscles du centre du corps lors de mouvements sportifs ou de chute par exemple. Le cerveau enregistre les schémas moteurs et renforce les chaînes musculaires avec la vitesse à laquelle vous effectuez vos exercices. Si vous effectuez toujours vos exercices de la phase 2 lentement, votre corps se renforcera pour résister à cette vitesse lente. C'est l'une des raisons pour lesquelles certains programmes de gainage ne sont pas efficaces dans la prévention des maux de dos (en plus des problématiques de posture dominante).

L'un des objectifs de la phase 2 (qui sera repris dans la phase 3) est donc de **faire varier les vitesses de contraction au fil des séries ou à l'intérieur des séries** (une répétition effectuée lentement, la suivante de façon rapide et ainsi de suite). Ainsi vous habituez les muscles du centre du corps à réagir à n'importe quel type de vitesse de contraction musculaire : mouvement statique, mouvement dynamique lent et mouvement dynamique rapide ou explosif, ce qui est exactement ce qu'ils rencontreront dans la vie de tous les jours et lors de vos activités sportives.

Cette approche sera prépondérante lors de la phase 3.

LA RÈGLE DE LA NON DOULEUR

Aucun exercice du livre ne doit provoquer de douleur lors de leur exécution, particulièrement si vous souffrez chroniquement du dos. Un exercice provoquant une douleur en aiguille ou une sensation de picotement dans les jambes ou dans les bras n'est pas normal ni acceptable. Les exercices qui provoqueraient ce genre de douleur doivent être supprimés du programme et remplacés par des exercices faisant travailler la même chaîne musculaire mais de façon différente. Le forum de discussion de mon site (www.christophe-carrio.com) offre à ce titre un espace d'échanges pour vous aider à trouver l'exercice substitutif. Un kiné peut également vous y aider (apporter le livre avec vous).

Si aucun exercice ne doit être douloureux, il est très probable en revanche que certains d'entres eux provoquent des sensations particulières. Par exemple tous les exercices adaptés aux postures 2/3 visent prioritairement le renforcement du muscle psoas et iliaque ainsi que des muscles paravertébraux. Il est très fréquent de constater que ces exercices provoquent une forte contraction et la sensation profonde d'une brûlure autour de la région lombaire tout simplement parce qu'ils se contractent et travaillent alors que précisément ils n'ont pas l'habitude le faire. Cette chaleur (la brûlure typique) est normale. Des courbatures plus ou moins importantes peuvent se manifester lors des premières séances. Il est donc important de respecter la progression des exercices et des niveaux ainsi que le nombre de répétitions ou séries afin que le corps et les muscles aient le temps de s'adapter. Cette remarque est d'autant plus importante que vous êtes sujet aux maux de dos. Les personnes lombalgiques sont en effet hypersensibles à la douleur et toute sensation inhabituelle au niveau du dos leur fait craindre à juste titre une nouvelle crise.

CE QUE VOUS ALLEZ RESSENTIR

Précisons également que certains exercices étireront simultanément des muscles ou des chaînes musculaires. Vous ressentirez donc des étirements qui seront différents selon votre type de posture. Si vous avez une posture de type 1, vous ressentirez fréquemment un étirement des fléchisseurs de hanches (psoas, iliaque, droit antérieur...). Si vous avez une posture de type 2 ou 3, vous ressentirez souvent un étirement de la chaîne postérieure (mollets, ischio jambier, certaines zones de la musculature du dos et de la nuque).

Cette sensation est normale puisque la contraction d'un muscle favorise l'étirement du muscle opposé. Chez certaines personnes, la sensation d'étirement sera telle qu'elle pourra les amener à modifier la bonne posture de l'exercice. Cela doit être évité. Si l'étirement est trop important, limitez l'amplitude de l'exercice.

Les exercices de la phase 2 agissent de manière spécifique pour équilibrer votre posture au niveau du bassin. La sensation de travail sera rarement limitée à votre seule sangle abdominale et pourra même parfois être diffuse dans cette zone, tout simplement car la bonne exécution de l'exercice distribuera le stress musculaire à un ensemble de chaînes musculaires. Dès lors vous ne devez pas rechercher la classique brûlure au niveau des muscles de l'abdomen par exemple.

Certains exercices exécutés en statique provoquent également des tremblements musculaires signe que l'exercice est trop intense pour vous ou que vous êtes trop fatigué pour continuer l'exercice en conservant une bonne posture. Après les premiers tremblements, il faut stopper l'exercice. Il vaut mieux exécuter plusieurs séries courtes d'un circuit d'exercices dans une bonne position plutôt qu'une longue série au cours de laquelle la posture de travail se détériore. Précisons que le nombre de séries et de répétitions de chaque circuit du programme est indicatif et que vous devez les adapter en fonction de vos sensations. Des crampes peuvent également apparaître signe que d'une part vous êtes fatigué ou que vous substituez la contraction d'un muscle par un autre (par exemple les ischio-jambiers à la place des muscles fessiers en cas de mauvais fonctionnement de ces derniers par exemple)

Les personnes qui souhaitent avec ce programme renforcer leur sangle abdominale pour des gestes de la vie courante ou la pratique d'une activité sportive de loisirs pourront se cantonner aux phases 1 et 2 et s'arrêter ici. Les personnes désireuses d'augmenter au maximum leurs performances physiques (sportifs de haut niveau) ou de développer très fortement leur sangle abdominale pour un physique hors normes (mannequin, bodybuilder) devront passer à la phase 3.

CHAPITRE 4

PRÉPARER LE CENTRE
À LA COMPÉTITION (PHASE 3)

L'objectif de cette phase est de développer pleinement le centre du corps dans un objectif de performance. Elle ne doit jamais débuter avant d'avoir validé les phases 1 et 2.

Les exercices de cette phase sont difficiles. Ils nécessitent d'avoir pratiqué et assimilé les deux phases précédentes avant de pouvoir les intégrer soit de façon ponctuelle soit de façon plus régulière dans le cadre d'une pratique de sport de compétition ou de haut niveau. Cette mise au point est importante particulièrement avec le public sportif et/ou compétiteurs car bon nombre de blessures proviennent de la pratique d'exercices beaucoup trop avancés par rapport au niveau du sportif ou de l'athlète. C'est la raison pour laquelle je conseille (pour ne pas dire martèle) aux sportifs de valider les phases 1 et 2 de ce livre avant d'y ajouter la phase 3 et aux éducateurs ou entraîneurs de faire preuve de bon sens. Dans un cas comme dans l'autre, un égo surdimensionné étant bien souvent mauvais conseiller.

Les exercices de cette phase se feront soit de façon statique, soit en force soit de façon explosive soit en combinant les trois ! Ils nécessiteront une parfaite maîtrise de la stabilisation du centre du corps et de l'utilisation concomitante des hanches et de la zone thoracique de la colonne vertébrale afin de produire des mouvements spécifiques. Dans cette phase, et bien plus que dans les autres, la véritable fonction des muscles du centre du corps sera poussée à l'extrême, à savoir permettre la transmission des forces d'accélération ou de décélération produite par les mouvements du corps tout en contrôlant la stabilité de la colonne vertébrale et du bassin.

Autre aspect fondamental, et ce afin d'éviter toute blessure, on privilégiera la qualité d'exécution des exercices à la quantité (volume de travail) qui est un principe récurrent de toutes les phases. Tous les circuits d'exercices présentés dans cette phase comme dans les précédentes devront s'effectuer dans une posture optimale. Par conséquent, toute modification de posture ou du mouvement lors des exercices sonnera la fin du circuit pour récupérer avant d'entamer la série suivante. Gardez en tête que tout mouvement entraîne ou renforce un schéma moteur et tout mouvement doit respecter le fonctionnement articulaire.

L'ensemble des exercices de cette phase sont des exercices globaux qui exercent un stress mécanique intense au niveau du centre. Cependant, dans la mesure où le travail est global vous ne ressentirez pas forcément – et vous ne devez pas recherchez – une sensation de contraction musculaire localisée au niveau des abdos.

SCULPTER SES ABDOS

Si vous avez acheté ce livre, c'est que vous rêvez certainement d'avoir des abdos parfaitement dessinés. Des abdos saillants et un ventre extra plat sont depuis toujours dans l'inconscient collectif associé à la jeunesse, à une plastique « sexy » et les magazines nous le rappelle sans cesse.

À tous ceux qui rêvent d'avoir des abdominaux de couverture de magazine, je rappelle mon dicton fétiche : **pas de résultats extraordinaires avec des moyens ordinaires**. Je ne sais combien de fois j'ai pu répéter cette phrase en mon for intérieur ou aux personnes que je coache mais elle est tellement vraie, tellement juste que je la répète ici encore. Marcher, manger équilibré et faire 2 ou 3 séances de sport hebdomadaire avec les programmes de ce livre ne peut pas vous donner de résultats « magiques » esthétiquement parlant. C'est une approche normale pour l'organisme – quelque chose d'ordinaire pour lequel il est naturellement conçu – même si finalement peu de personnes s'astreignent réellement à une telle hygiène de vie. Avec une telle approche, vous obtiendrez tout au plus un physique sportif ou une silhouette plus dessinée. Pour des résultats extraordinaires, les moyens doivent être eux aussi extraordinaires, ce sont les stratégies que nous allons détailler. Le hic c'est qu'elles demandent également une motivation et une implication extraordinaires. Nous y reviendrons.

Comme nous l'avons vu, le travail du centre du corps revêt bien d'autres aspects que l'aspect esthétique à commencer par le bon fonctionnement du corps et l'amélioration des performances sportives. L'esthétique de la sangle abdominale est pour moi la cerise sur le gâteau d'un programme du centre du corps cohérent c'est-à-dire d'un **entraînement efficace** associé à une **nutrition soignée**.

• L'entraînement seul permet d'obtenir une sangle abdominale puissante mais ce qui n'implique pas forcément des abdos parfaitement dessinés. Il n'est pas rare de rencontrer des sportifs très forts et puissants avec un ventre proéminent recouvert d'une épaisseur de graisse.

• A l'inverse, on peut avoir des abdos dessinés sans faire forcément beaucoup « d'abdos ». Certaines personnes en suivant des régimes très restrictifs ou à la génétique avantageuse y arrivent sans même faire du sport.

Pour sculpter ses abdos et arborer de magnifiques tablettes de chocolat, le moyen le plus sûr et efficace est de chercher à maintenir ou augmenter sa masse musculaire tout en forçant le corps à brûler ses graisses de réserves.

Dans ce chapitre, je me concentrerai sur l'aspect entraînement et parlerai de la nutrition plus loin. Nous avons vu dans la première partie de ce livre (page 35, La science de la perte de graisse) que certains exercices physiques favorisent la sécrétion d'adrénaline, une hormone brûleuse de graisse. Les exercices physiques intermittents c'est-à-dire des séances de sport qui alternent des efforts intenses et brefs avec des périodes de récupération provoquent la libération d'une grande quantité d'**adrénaline**. Ils favorisent la libération de sucre et de graisse de réserve.

Vous avez là l'une des clés les plus formidables de la minceur mais cette clé ne fonctionnera sur le long terme que si vous introduisez une variation dans vos exercices. En effet, si vous sollicitez votre corps toujours de la même manière, il finit par s'adapter et ne plus brûler autant d'énergie. En jonglant avec des exercices de renforcement musculaire qui font appel à des modes de contraction différents, en sollicitant l'ensemble de vos chaînes musculaires de manière différente, vous forcez votre corps à s'adapter en permanence et ainsi il peut continuer à puiser dans ses réserves de graisse.

Si ce type d'efforts et d'entraînement peuvent être menés avec toutes les disciplines sportives, l'avantage va à la musculation et au travail fractionné codifié car ils permettent de mieux maîtriser les différents facteurs tout en évitant les blessures. C'est la raison pour laquelle ces deux activités sont à la base de la préparation physique des sportifs.

LE PROGRAMME IDÉAL

• **2 séances de musculation** de tout le corps orientées force. C'est-à-dire avec des charges vous permettant d'effectuer entre 5 et 10 répétitions maximum. C'est la meilleure façon de forcer le corps à maintenir voire augmenter sa masse musculaire en plus de stimuler fortement les hormones anabolisantes anti-graisse. Ce sont précisément les programmes que je propose dans mes ouvrages *Musculation athlétique* et *Musculation haute densité*.

• **1 à 2 séances de fractionné « lactique »** : le but de ces séances est de provoquer la sécrétion d'acide lactique la plus forte possible (quand les muscles « brûlent) car elle est associée à une libération très importante d'adrénaline et surtout d'hormone de croissance qui facilite encore plus la libération de graisses de réserve. D'autre part, ces activités très intenses agissent comme des coupe-faim naturels. Voici quelques exemples de séance :

- courir le plus vite possible sur 300 à 400 m puis se reposer 1min30 à 2 min et recommencer 3 ou 4 fois ;

- sur vélo, elliptique ou rameur (pour ceux qui n'ont pas mal au dos) : 1 min d'effort intense avec forte résistance sur l'appareil, suivie par 30 sec de récupération, l'ensemble répété 5 à 6 fois ;

- séance tabata, méthode dont je parle dans mes livres *La meilleure façon de courir* et *Musculation athlétique*.

• **2 ou 3 séances de travail cardiovasculaire à faible intensité** comme courir ou pédaler doucement ou même marcher vite (intensité d'effort comprise entre 65 et 70 % de votre fréquence cardiaque fonctionnelle) pendant 30 à 40 minutes. Si ces séances sont largement plébiscitées car faciles à mettre en place et surtout très supportables physiquement, elles ne sont pas optimales pour faire fondre les graisses de réserve. En revanche, associées aux séances lactiques, elles sont beaucoup plus intéressantes : le travail lactique libère beaucoup d'acides gras qui peuvent être plus fortement brûlés grâce à un travail cardiovasculaire de faible intensité. Concrètement, terminez vos séances lactiques par 20 à 30 min de cardio à faible intensité et ajouter éventuellement une séance 30 à 45 minutes une autre fois dans la semaine.

• **Les séances de renforcement du centre** doivent être intégrées soit à la fin des séances de musculation soit à la fin de vos séances de fractionné lactique.

COURIR À JEUN : UNE BONNE OU MAUVAISE IDÉE ?

Bon nombre de sportifs qui veulent « sécher » pratiquent la course à jeun. L'objectif est d'augmenter la propension de l'organisme à convertir les graisses de réserves en énergie. Après plusieurs années d'observations de terrain et selon les rares études scientifiques sur le sujet, il ressort que le corps puise assurément dans ses réserves lipidiques pour assurer cet effort, mais à quel prix ? Premier constat : ce sont les acides gras essentiels (notamment les fameux oméga-3) qui font majoritairement les frais d'une telle pratique, mais aussi les protéines qui servent de médiocre carburant d'appoint car elles génèrent un grand nombre de déchets. Le cardio à jeun n'est pas une activité physique dénuée de risques, qui plus est, si elle est associée, comme c'est souvent le cas, à un régime pauvre en glucides et en lipides. Je vous déconseille de courir plus de 45 min à jeun et jamais plus de 3 fois par semaine. Ces séances à jeun ne doivent jamais être effectuées lorsque vous êtes fatigué ou que vous avez du mal à dormir ou à vous lever le matin (premier signe d'une fatigue profonde).

LE POINT SUR LES CEINTURES DE FORCE

On trouve en salle de musculation des ceintures de force que l'on met lorsque l'on soulève des charges lourdes. Ceux qui regardent les championnats d'athlétisme à la télévision savent qu'il en est de même pour les lanceurs de disque, de marteau, de poids ou de javelot. Certaines personnes portent aussi ce genre de ceintures après un épisode de mal de dos afin d'éviter une éventuelle récidive lors d'activités sportives, de jardinage ou de bricolage. Le port de ces ceintures est-il vraiment efficace et souhaitable ?

La ceinture de force a deux conséquences. Premièrement en serrant la ceinture autour de la taille, on immobilise la région lombaire, on limite le mouvement des vertèbres et donc le risque de blessure dans cette zone. Deuxièmement, la ceinture de force provoque une augmentation de la pression intra abdominale en comprimant les viscères sur lesquels les vertèbres lombaires peuvent s'appuyer (connu sous le nom de manœuvre de Valsava). Il en résulte une très forte augmentation de la pression artérielle ce qui, pour certains, peut être dangereux. Ces deux actions de la ceinture ne sont pas souhaitables et certainement pas une solution pour prévenir les blessures à long terme.

• En immobilisant la région lombaire, on s'expose à des sollicitations des charnières dorso-lombaire et lombo-sacrée (voir schéma page 50) trop importantes et on augmente le risque de se blesser à ce niveau (hernies discales).

• La ceinture donne un faux sentiment de sécurité qui incite à augmenter la charge, la durée de l'exercice et à négliger le maintien d'une bonne posture de travail.

• Le port de la ceinture, en stimulant les récepteurs moteur de la peau, **modifie le bon schéma moteur** de recrutement de l'unité profonde puis superficielle. La peau fait partie des agents de renseignement du cerveau qui l'aident à affiner le contrôle postural. Les nerfs de la peau sont en relation directe avec les muscles situés au-dessous (voilà pourquoi les massages détendent la musculature).

• La ceinture provoque ainsi un **schéma moteur aberrant** : la musculature abdominale pousse dans la ceinture (activation des muscles grand droit et obliques pour stabiliser la colonne et pression sur les muscles du plancher pelvien), alors qu'au contraire, comme nous l'avons vu, la musculature abdominale devrait rentrer (activation prioritaire des muscles de l'unité profonde secondée par les muscles de l'unité superficielle). Ceci va à l'encontre de la rééducation motrice de l'unité profonde et de sa synchronisation avec l'unité superficielle et ne doit donc pas être encouragé chez le sportif et encore moins chez l'individu sujet au mal de dos.

Les ceintures de force sont une solution de facilité. Elles offrent un confort et masque ce qui se passe dans le corps. Certains rétorqueront que le port de ceinture est « obligatoire » dans la manipulation de charges très lourdes (en musculation notamment), les jambes pouvant supporter ces charges mais pas le dos, le dos devenant le maillon faible d'une chaîne. Dès lors il est fondamental que les charges manipulées soient **en adéquation** avec les capacités de stabilisation et de force des muscles du centre du corps, ce qui est la thématique abordée dans mes ouvrages *Musculation haute densité* et *Musculation athlétique*.

UN MOT SUR LES APPAREILS D'ÉLECTROSTIMULATION

Impossible de clôturer ce chapitre sans aborder la question de l'intérêt et l'utilisation des appareils d'électrostimulation. Au départ utilisés en rééducation pour éviter la fonte musculaire des personnes malades ou blessées, ces appareils ont rapidement gagné l'univers du fitness permettant de se muscler et de perdre notamment du ventre.

Je ne suis pas favorable à ce type d'appareils car ils favorisent un travail d'isolation des muscles et l'approche que je développe dans ce livre (celle que je préconise depuis des années) ne va pas dans ce sens. De plus, contrairement aux arguments marketing de certains fabricants, cela ne fait pas fondre les graisses.

Comme je l'ai expliqué jusqu'ici, le fonctionnement du centre du corps résulte d'une alchimie complexe entre unités profonde et superficielle. Les impulsions électriques ne stimulent que l'unité superficielle et en la travaillant de façon « morcelée ». Elles favorisent ainsi la création de schémas moteurs dysfonctionnels. De plus, les appareils bas de gamme n'entraînent pas des contractions musculaires suffisamment intenses pour réellement stimuler la sangle abdominale.

Les modèles haut de gamme entraînent de meilleures contractions musculaires. Ils sont intéressants dans deux cas de figure : ils facilitent la récupération et le drainage, fort utiles pour le sportif après l'entraînement. En cas de blessure, ils permettent d'entretenir la musculature du sportif pendant sa convalescence.

CHAPITRE 5

LA MEILLEURE FAÇON DE MANGER POUR SCULPTER SES ABDOS

D ans chaque livre de la collection, je rappelle les grands principes d'une nutrition optimale. Ce livre ne dérogera pas à la règle et nous irons même encore plus loin dans les explications car, comme nous l'avons vu, quel que soit l'objectif (avoir un ventre plat, des abdominaux saillants, limiter les maux de dos et de ventre), l'alimentation est le facteur le plus important.

Avez-vous remarqué qu'avec la consommation plus importante de salades et de fruits à l'approche de l'été, on modifie plus facilement sa silhouette ? Ceci s'explique par le fait que notre alimentation change grâce à des aliments moins caloriques et plus denses et que, les beaux jours aidant, on sort plus, on fait plus de sport, on jardine plus, bref on se dépense plus.

LES 7 RÈGLES D'UNE ALIMENTATION ÉQUILIBRÉE

Voici les grands principes d'une nutrition équilibrée, première étape indispensable pour un ventre plat.

Règle n°1 : consommer suffisament de protéines

Lorsque nous provoquons des micro-dommages aux muscles au cours d'un entraînement (ce qui est en fait l'objectif d'un entraînement de musculation par exemple), nous déclenchons une phase nécessaire d'anabolisme, c'est-à-dire de reconstruction musculaire. Cette phase doit être soutenue par un apport adéquat en protéines alimentaires.

Selon l'intensité et la nature de l'effort physique, les besoins en protéines sont compris entre 1,4 g et 2,2 g par kilo de poids corporel soit, pour un homme de 70 kg, entre 98 g et 154 g par jour et, pour une femme de 50 kg, entre 70 et 110 g par jour.

LES BONNES SOURCES DE PROTÉINES

La viande rouge maigre et de bonne qualité, le blanc de poulet bio ou élevé en plein air, les poissons gras (saumon, sardine, truite), le poisson blanc, les fruits de mer et crustacés, les œufs issus de poules élevées en plein air, éventuellement labellisés Bleu-Blanc-Cœur ou bio. L'utilisation d'isolat de whey protéines (protéines de lactosérum) devrait être aussi envisagée. Nous y reviendrons.

Règle n°2 : consommer les bonnes graisses

L'important, ce n'est pas la quantité des graisses ingérées mais leur nature. En effet, les lipides sont des nutriments essentiels au bon fonctionnement de l'organisme et il est préjudiciable d'en réduire fortement la consommation, même (et surtout) dans une optique de perte de poids (contrairement à ce qui est régulièrement conseillé aujourd'hui). Les graisses donnent naissance à de nombreux messagers chimiques et médiateurs qui jouent un rôle dans le rythme cardiaque, la circulation du sang, l'inflammation et l'immunité.

Pour équilibrer ses apports en graisses, il faut :

• **Limiter sa consommation de graisses saturées** : viandes de bœuf, d'agneau, de porc, produits laitiers (fromage, lait et yaourt entier, beurre), etc.

• **Rétablir la balance oméga-3/oméga-6**. Les oméga-3 et 6 sont deux acides gras sont dits essentiels : ils doivent obligatoirement être apportés par l'alimentation. Le problème est que l'alimentation des pays industrialisés fournit trop d'oméga-6, favorisant l'inflammation et donc le vieillissement, et pas assez d'oméga-3, anti-inflammatoires et favorisant la relaxation des vaisseaux sanguins.

Pour atteindre le ratio oméga-6/oméga-3 idéal, il faut :

• Manger des poissons gras riches en oméga-3 trois fois par semaine : sardine, maquereau, saumon, thon... Les sardines fraîches ou en boîte sont peu onéreuses.

• Choisir l'huile de colza pour l'assaisonnement et l'huile d'olive (riche en acides gras monoinsaturés et en antioxydants protecteurs) pour l'assaisonnement et la cuisson. Bannir l'huile de tournesol ou de maïs et les margarines qui en sont issues qui sont trop riches en oméga-6.

• Consommer des noix qui apportent des oméga-3 et oméga-6 dans les bonnes proportions. Les graines de lin sont une excellente source d'oméga-3. Entières ou moulues, elles peuvent s'incorporer à diverses préparations : salades, muesli, compote, fromage blanc, pain.

• Prendre des gélules d'oméga-3 proposant une concentration élevée en DHA (acide docosahexaénoïque) et EPA (acide eicosapentaénoïque).

Règle n°3 : consommer peu de glucides et privilégier les glucides à index glycémique bas

Les aliments glucidiques (pain, riz, pâtes, fruits..) n'ont pas tous le même effet sur la glycémie et donc sur la libération d'insuline. L'impact de ces aliments sur le taux de sucre sanguin est évalué par l'index glycémique (IG).

Les aliments dont l'IG est élevé (compris entre 70 et 100) augmentent fortement et rapidement la glycémie et donc le taux d'insuline, ce qui favorise le stockage des graisses. Le pain blanc, le riz blanc, les pommes de terre sous toutes leurs formes, les céréales du petit déjeuner et les produits céréaliers raffinés en général entrent dans la catégorie des aliments à IG élevé. Ce sont des aliments généralement très présents dans l'alimentation occidentale.

Les aliments à IG bas (inférieur à 55) comme les lentilles, les pois chiches, les haricots, les céréales complètes (riz complet, pain complet...), les fruits secs... sont les grands oubliés de nos assiettes. Pourtant ils n'augmentent que faiblement la glycémie et la sécrétion d'insuline.

Plus les aliments sont riches en fibres et peu transformés, moins ils font sécréter de l'insuline. C'est la raison pour laquelle ce sont ces aliments-là que nous devons consommer en priorité.

Règle n°4 : lutter contre l'acidité en consommant des fruits, légumes et épices

L'alimentation moderne (trop salée, trop riche en céréales et en viande) est globalement acidifiante ce qui nuit à la densité osseuse et musculaire.

Pour conserver une bonne masse musculaire et des os solides, il est fondamental d'adopter une alimentation qui fournit davantage de minéraux alcalinisants que de minéraux acidifiants. Les fruits (abricot, avocat, banane, figue, raisin noir, fruits secs...), les légumes (épinards, mâche, cresson, fenouil, courge, carotte...), les aromates et certaines épices (curcuma, girofle, estragon, thym, paprika...) sont, en plus d'être antioxydants, les aliments les plus alcalinisants qui soient. Veillez à consommer 4 portions de légumes et 3 fruits au minimum chaque jour.

Le quart de votre assiette doit être occupé par des aliments riches en protéines, un autre quart par des féculents d'IG bas et la moitié par des légumes.

Règle n°5 : prendre 3 repas par jour et 2 collations

Fractionner ses apports alimentaires en 3 repas (petit déjeuner, déjeuner, dîner) et 2 ou 3 collations (une dans la matinée, une vers 16 h et une juste après votre entraînement) aura de profondes répercussions sur votre santé, vos performances physiques et intellectuelles ainsi que sur votre apparence physique.

Chacun de vos repas/collation devrait contenir des protéines (œufs durs, omelette, blanc de poulet, poisson, sardines en boîte, whey protéines...), des légumes (carottes, radis, céleri, concombre, courgette, choux, brocoli...), un peu de féculents à IG bas (quinoa, pâtes al dente ou riz complets, lentilles...) et/ou des fruits et des bonnes graisses (noix, amandes, graines de lin...). La seule collation faisant exception est celle de l'après entraînement (règle suivante).

Règle n°6 : augmenter son anabolisme

Le matin au lever et après votre entraînement, votre corps se trouve dans un état « catabolique ». Il doit refaire le plein en énergie et en protéines.

Pour le petit déjeuner, je vous conseille d'opter pour des glucides à IG modéré et après l'entraînement, privilégiez au contraire des glucides à IG élevé. Les sécrétions d'insuline qui y seront associées favoriseront ainsi une meilleure pénétration des protéines au niveau des cellules musculaires et permettront à votre organisme de revenir à un état d'anabolisme (construction de tissus musculaires et récupération générale).

Voici quelques conseils pratiques pour refaire le plein en énergie et en protéines et revenir à un état d'anabolisme :

• Pour le petit déjeuner, je conseille souvent des œufs brouillés, cuits avec de l'huile d'olive, des flocons d'avoine, du lait végétal (amande, riz ou coco) et quelques raisins secs bio. En accompagnement : un fruit de saison et un thé vert. Vous pouvez aussi remplacer les œufs brouillés par une dose d'isolats de whey protéines.

• Après votre entraînement, il est important de consommer une boisson sucrée à base d'isolats de whey protéines afin de provoquer un pic d'insuline (sauf si vous êtes diabétique ou prédiabétique). Vous pouvez la préparer en mélangeant une dose de whey protéines avec du lait de riz ou du jus de pomme et un peu de crème de marron (2 ou 3 cuillères à café) par exemple.

Règle n°7 : s'hydrater correctement

L'eau joue un rôle important dans l'organisme puisque 70 % de notre corps en est constitué. C'est pour cette raison qu'il est fondamental d'avoir une bonne hydratation lorsqu'on fait un exercice physique soutenu. Mieux l'organisme est hydraté et mieux il fonctionne.

Boire environ 1,5 à 2 litres d'eau l'hiver (le reste étant apporté par les tisanes, thés, soupes) et entre 2 et 3 litres l'été. Si vous buvez de l'eau en bouteille, Arvie, Quézac, Badoit sont des eaux gazeuses alcanisantes qui vous aideront à lutter contre l'acidité.

EN CAS DE PROBLÈMES DIGESTIFS : LE RÉGIME PAR ROTATION

Comme nous l'avons vu dans la première partie, l'apparence de la sangle abdominale (ventre plat ou gonflé) dépend en partie de la santé du système digestif (fonctionnement normal ou intolérances alimentaires et inflammation). Dans la mesure où les tests visant à déterminer la sensibilité à certains aliments sont assez chers (en moyenne 400 euros), je vous suggère dans un premier temps de mettre en place un régime par rotation alimentaire.

Ce régime a été mis au point par un allergologue américain, le Dr Albert Rowe, à la fin des années 1920. Il utilisait ce principe de rotation des aliments pour détecter les sensibilités alimentaires. L'objectif premier de ce régime est de réduire (à tour de rôle) la consommation d'un aliment que l'on mange très souvent – presque chaque jour – afin de limiter l'exposition du système immunitaire à certaines molécules auxquelles on est devenu intolérant.

En effet, les personnes dont la paroi intestinale est fragilisée sont susceptibles de devenir allergiques à un aliment à force de le consommer trop régulièrement (tous les jours). Par exemple une personne intolérante au lait de vache (qui souffre de migraines) qui se mettrait à consommer quotidiennement du lait de soja risque de devenir allergique à ce lait végétal et au bout de quelques mois souffrir à nouveau de migraines.

Si ces personnes ne sont en contact avec l'aliment que tous les 3 ou 4 jours, le risque d'allergie diminue.

Quand instaurer un régime par rotation ?

Précisons que ce régime est empirique et ne remplace pas une consultation chez le médecin. Précisons également que peu de médecins s'intéressent de près à la santé intestinale de leurs patients. Ils poseront rarement des questions sur la quantité et l'odeur des gaz que vous émettez, sur la consistance de vos selles, etc. Leur interrogatoire sur le système digestif se résume souvent ainsi à : « *et au niveau digestif tout va bien* » ? Question à laquelle on répond avec pudeur « *oui* » ou « *oui à peu près* » ou encore « *j'ai parfois du mal à digérer* ». On évite de dire « *Docteur ça sent vraiment mauvais* » et/ou « *j'alterne entre constipation et diarrhée* ».

Le premier signe d'alerte concerne tout ce qui touche au système digestif et vous vous apercevrez à la lecture du tableau ci-dessous que nous devrions tous à un moment ou un autre suivre un régime par rotation. Quoi qu'il en soit, l'adoption d'un tel régime pendant quelques semaines ne pourra que faire du bien à votre organisme.

LES MAUX DU SYSTÈME DIGESTIF

ESTOMAC	VÉSICULE BILIAIRE	INTESTIN GRÊLE	GROS INTESTIN
Éructations excessives	Inconfort suite à l'ingestion d'aliments gras	Constipation suite à l'ingestion de fibres	Sensation que l'intestin ne se vide pas complètement
Émission de gaz juste après le repas	Ballonnements ou gaz intestinaux plusieurs heures après le repas	Sensation d'être plein ou difficultés à digérer pendant 2 à 4 h après un repas	Douleur au bas du ventre qui cesse avec l'émission de selles ou de gaz
Mauvaise haleine	Goût métallique ou amer dans la bouche, en particulier le matin	Douleurs et tensions à gauche, sous la cage thoracique	Alternance de constipation et de diarrhée
Difficulté à aller à la selle	Démangeaisons inexplicables de la peau	Gaz abondants	Diarrhée
Sensation d'être « plein » pendant ou après un repas	Jaunissement du fond de l'œil	Nausées et/ou vomissements	Constipation
Difficulté à digérer les fruits et les légumes	La couleur des selles varie du beige clair (mastic) au marron	Présence de débris d'aliments dans les selles, selles très odorantes, selles malformées, selles « grasses » avec du mucus	Selles dures, sèches ou petites
Présence d'aliments non digérés dans les selles	Rougissement de la peau, en particulier des paumes	Envie d'uriner fréquente	Langue chargée
Grande quantité de gaz nauséabonds	Grande quantité de gaz nauséabonds	Envie de boire et manger accrue	Grande quantité de gaz nauséabonds
Douleur à l'estomac, brûlures, 1 à 4 h après le repas	Peau et cheveux secs ou desquamants	Difficulté à perdre du poids	
Usage fréquent de médicaments anti-acides	Antécédents de calculs biliaires ou de cholécystites		

ESTOMAC	VÉSICULE BILIAIRE	INTESTIN GRÊLE	GROS INTESTIN
Sensation de faim 1 à 2 h après le repas			
Brûlures d'estomac en position couchée ou penchée vers l'avant			
Soulagement temporaire grâce aux anti-acides, au lait, au bicarbonate ou à la prise d'aliment			
Problèmes digestifs qui s'apaisent avec le repos ou la relaxation			

Dans 90 % des cas, les personnes retrouvent chez elles un ou plusieurs symptômes évoqués dans le tableau. Simplement parce que le système digestif est l'organe qui – avec le système respiratoire – nous connecte directement avec le monde extérieur via la nourriture que l'on absorbe. Il est donc normal qu'une mauvaise alimentation (d'un point de vue littéral ou du point de vue des intolérances) ait des répercussions négatives sur le système digestif et par conséquent sur notre santé globale. Les modalités d'un régime par rotation restent en adéquation avec les 7 règles alimentaires que nous venons de détailler.

Le protocole

Vous aurez à composer vos menus selon quatre journées types identifiées comme jour 1, 2, 3 et 4. Pour chaque journée, une liste d'aliments est proposée.

Le tout est de suivre les journées l'une après l'autre et, après quatre jours, de recommencer au jour 1. Par exemple, si vous commencez ce protocole le lundi, ce jour sera nommé le jour 1, le mardi le jour 2, le mercredi 3 et le jeudi le jour 4. Le vendredi, on revient au départ, c'est-à-dire à un jour 1, et ainsi de suite. C'est cela qu'on appelle un régime par rotation. Au jour 1, vous entourez tous les aliments de la liste 1 que vous consommez et vous ne sélectionnez que ceux-là pour vous alimenter durant cette journée. Idem pour les journées 2,3 et 4.

Chez certaines personnes, le simple fait de suivre le régime par rotation suffit pour atténuer les troubles digestifs parce que les aliments potentiellement irritants sont consommés moins souvent. Si des réactions négatives apparaissent, il faudra déterminer, quel(s) aliment(s) est en cause. Il faudra peut-être les éliminer quelques mois. C'est ce que l'on nomme un **régime d'exclusion**.

Il serait tentant de mettre de côté tous les aliments de la journée en question, mais cette façon de faire ne vous permettrait pas de découvrir quel(s) aliment(s) est en cause. Il est donc recommandé de mettre de côté un aliment ou une famille d'aliments à la fois. Et de voir ce qui se passe au niveau digestif (douleurs, inflammation, gaz, diarrhée, constipation, etc.).

JOUR 1 : LISTE DES ALIMENTS AUTORISÉS

ALIMENTS GLUCIDIQUES	ALIMENTS PROTÉIQUES	DIVERS
Banane	Anchois	Quatre-épices
Groseille	Bœuf	Carvi
Groseille à maquereau	Bison ou taureau	Poivre de Cayenne
Raisin	Fromage (de vache, de brebis ou de chèvre)	Piment de Cayenne
Goyave	Morue	Clou de girofle
Kiwi	Anguille	Café
Litchi	Hareng	Coriandre[1]
Mangue	Agneau	Lait (de vache, de brebis ou de chèvre)
Papaye	Foie	Cumin[1]
Artichaut	Esturgeon	Aneth
Poivron	Tarpon	Houblon
Carotte[1]	Veau	Fenouil[1]
Céleri[1]		Miel
Endive		Noix de Macadamia
Aubergine		Menthe
Fenouil[1]		Paprika
Laitue (toutes variétés)		Pistaches
Persil[1]		Huile de carthame
Panais[1]		Huile de tournesol
Tomate		Tapioca
Pomme de terre		
Manioc		

[1] Ces aliments appartiennent tous à la même famille. Si vous souhaitez faire passer certaines épices sur une autre journée, assurez-vous qu'il en soit de même pour tous les aliments de la famille. Le sel et la plupart des huiles ne nécessitent pas de rotation.

JOUR 2 : LISTE DES ALIMENTS AUTORISÉS

ALIMENTS GLUCIDIQUES	ALIMENTS PROTÉIQUES	DIVERS
Millet	Poulet	Levure de boulanger
Avoine	Canard	Basilic[2]
Seigle	Œufs	Feuilles de laurier
Blé	Oie	Levure de bière
Orge	Autruche	Sucre de canne
Pomme	Dinde	Cardamome
Avocat	Thon	Cannelle
Baies (toutes variétés)	Caille	Noix de coco
Dattes		Gingembre
Figues		Noisettes
Kaki		Lavande[2]
Poire		Malte
Grenade		Mélasse
Chou		Muscade
Chou-fleur		Origan[2]
Feuilles de chou vert		Graines de pavot
Brocoli		Romarin[2]
Choux de Bruxelles		Sauge[2]
Chou frisé		Menthe verte[2]
Champignons		Thym[2]
Feuilles de moutarde		Curcuma
Radis		
Navet		
Cresson de fontaine		

[2] Ces aliments appartiennent tous à la même famille. Si vous souhaitez faire passer certaines épices sur une autre journée, assurez-vous qu'il en soit de même pour tous les aliments de la famille. Le sel et la plupart des huiles ne nécessitent pas de rotation.

JOUR 3 : LISTE DES ALIMENTS AUTORISÉS

ALIMENTS GLUCIDIQUES	ALIMENTS PROTÉIQUES	DIVERS
Abricot	Pois chiches	Amandes
Mûres	Carrelet	Noix du Brésil
Cerises	Flétan	Caroube
Nectarine	Haricots rouges	Réglisse
Pêche	Lentilles	Cacahuètes
Prune	Haricots Lima	Poivre (blanc et noir)
Ananas	Haricots mungo	Vanille
Framboises	Haricots blancs	Maté
Fraises	Haricots pinto	
Luzerne germée	Porc	
Asperge	Lapin	
Haricots (verts, beurres, coco)	Requin	
Ciboulette	Espadon	
Maïs	Sole	
Ail	Fèves de soja	
Poireau	Chevreuil	
Oignon		
Pois		
Patate douce		
Ignames		

JOUR 4 : LISTE DES ALIMENTS AUTORISÉS

ALIMENTS GLUCIDIQUES	ALIMENTS PROTÉIQUES	DIVERS
Sarrasin	Truite	Sucre de betterave
Riz[3]	Poisson Black-bass	Camomille
Melon charentais	Palourde	Cacao
Melon jaune	Crabe	Sirop d'érable
Pamplemousse	Mérou	Noix de Pécan
Melon vert	Homard	Sésame
Kumquat	Maquereau	Thé
Citron	Moules	Noix de Grenoble
Citron vert	Huîtres	
Orange	Saumon	
Clémentine	Pétoncle	
Mandarine	Crevettes	
Pastèque	Vivaneau rouge	
Betterave	Calamar	
Blettes		
Concombre		
Gombo		
Olives		
Courge		
Rhubarbe		
Oseille		
Épinards		
Courges		

[3] Vous pouvez faire passer le riz en jour 1.

LES CONSEILS ALIMENTAIRES POUR SÉCHER

Les 7 règles de bases et le régime par rotation vous permettent d'adopter de bonnes habitudes alimentaires et de lutter contre d'éventuelles intolérances alimentaires. Ces deux étapes sont les fondations d'une bonne santé et d'un meilleur fonctionnement de votre métabolisme.

Leur impact sera fantastique sur votre état de forme et sur l'apparence et le fonctionnement de votre centre du corps. Néanmoins pour des raisons esthétiques tout à fait légitimes ou dans l'optique d'une meilleure performance (plus de muscles et moins de graisse), certains d'entre vous souhaiteront aller plus loin. Les conseils suivants vous y aideront. Suivez le guide !

Provoquez un léger déficit énergétique

Si vous brûlez plus de calories que vous n'en consommez, alors vous perdez du poids. Et si on s'astreint à un programme de sport qui maintient la masse musculaire et agit directement sur la fonte des graisses, alors la perte de poids s'opère uniquement sur les graisses de réserves.

Cependant les processus menant à la libération et la combustion des graisses sont très complexes et les processus adaptifs nombreux comme nous l'avons vu dans la partie *Comprendre*. Aussi je recommande toujours un déficit énergétique léger provenant de l'alimentation et une modification de l'entraînement plus spécifique comme nous l'avons vu plus haut.

L'adoption des 7 règles alimentaires de base combinée avec un entraînement régulier permettent de maintenir un pourcentage de graisse corporelle bas toute l'année ne rendant pas nécessaires des changements alimentaires draconiens.

En pratique je recommande un déficit énergétique de 20 % maximum sur une période de 4 semaines. Cela se traduit par une légère diminution de vos apports en glucides (moins de fruits, moins de pain complet, moins de céréales complètes, moins de riz, moins de pâtes et moins de légumineuses) et en lipides (moins d'huile d'olive, moins de fruits à coque, moins de margarine). La part des protéines reste la même avec notamment une plus forte consommation de poisson gras (pour maintenir simultanément un apport élevé en oméga-3). Parallèlement, on augmente la consommation des légumes.

Manipulez votre consommation de glucides

Cette stratégie est très intéressante pour les personnes déjà athlétiques en la combinant à l'entraînement conseillé précédemment (musculation, travail fractionné et lactique et un peu de cardio à faible intensité). En effet, en faisant varier sa consommation de glucides au cours d'une semaine, on agit sur plusieurs facteurs.

Les jours où la consommation en glucides est réduite, le corps libère plus d'adrénaline et de graisses de réserve tout en brûlant ses stocks de sucre musculaire (glycogène). On augmente ainsi la capacité des muscles à mieux stocker les prochaines sources de sucre alimentaire tout en favorisant la libération et l'utilisation des graisses de réserves. On alterne ces journées avec d'autres plus riches en glucides. Par exemple vous pouvez pendant 2 jours consommer 150 g de glucides totaux sur la journée, puis pendant 2 jours 300 g, puis 2 jours à nouveau à 150 g et une journée où vous en mangez autant que vous voulez ! Et ainsi de suite. Vous pouvez également répartir vos glucides sur la journée en stoppant leur consommation après 19 h, heure à partir de laquelle vous ne mangez plus que des légumes et des aliments riches en protéines.

Précisons également que sauf après l'entraînement où des glucides à index glycémique élevé sont permis pour refaire rapidement les stocks de glycogène, les glucides doivent provenir d'aliments à index glycémique très bas, riches en fibres.

Optez pour les aliments à index masticatoire élevé

Manger mou fait grossir. À calories égales, les aliments mous font prendre du poids car, en zappant totalement la mastication, ils ne permettent pas au cerveau de recevoir des messages de rassasiement. La satiété obtenue après un repas composé d'aliments mous n'étant pas optimale, nous sommes incités à grignoter tout au long de la journée. Il s'en suit après chaque repas ou collation des pics d'insuline récurrents qui conduisent à stocker des graisses.

Moralité, un repas doit être pris lentement, les aliments doivent être mâchés longuement. Manger lentement laisse le temps au corps et au cerveau de se mettre d'accord grâce à la libération par le cerveau d'un neurotransmetteur : l'histamine. C'est elle qui va transmettre le message « arrête de manger, tu n'as plus faim ». Mais ce n'est pas tout : non seulement l'histamine provoque le sentiment de satiété, mais en plus elle augmente le métabolisme des lipides.

4 conseils pour bien mastiquer

• Mangez au moins 2 crudités par jour, si possible en début de repas car les légumes crus obligent à mâcher longtemps, accélèrent le rassasiement et évitent de se jeter sur le dessert ou le pain.

• Côté glucides, optez pour des céréales anciennes et des légumineuses (quinoa, sarrasin, lentilles, pois chiches, haricots rouges, flocons d'avoine) : cuites *a minima*, elles ont un index masticatoire élevé en plus d'avoir IG bas. La satiété sera atteinte plus rapidement et durera plus longtemps.

• Mâchez complètement avant d'avaler. Le fait de mâcher permet de transformer la nourriture en particules élémentaires qui seront prédigérées grâce à la salive.

- Ne faites rien d'autre que manger : on mange en effet plus vite et en mâchant moins bien dès que notre cerveau est accaparé par une autre activité.

Organisez votre semaine alimentaire

Il est plus facile de suivre un plan lorsqu'on souhaite modifier son alimentation. Plus vous serez organisé, plus il sera facile de maintenir une nutrition optimale dans le temps.

Faites vous une liste de courses « cohérente » en fonction de vos repas (recettes) et collations prévus. Évitez de stocker des aliments dont vous n'avez pas prévu une utilisation bien précise, surtout si ceux-ci ne présentent pas d'intérêt nutritionnel. Allez faire vos courses après avoir mangé ainsi vous serez moins tenté d'acheter des produits qui attisent votre gourmandise.

Préparez à l'avance des blancs de poulets sautés, du saumon mariné au citron vert, des carottes et du choux râpé, de la soupe, des oignons rouges émincés, une sauce pesto faite maison (ail, basilic, huile d'olive, vinaigre balsamique, curcuma)...

Certes cela représente une matinée ou une après midi de travail pour trois ou quatre jours. Mais ce temps ne sera pas perdu. Il est plus facile de manger du saumon mariné avec un peu de chou et des carottes râpées assaisonnés à la sauce pesto lorsque tout est prêt plutôt que de trouver l'énergie de se préparer un bon repas lorsqu'on rentre du boulot ou du sport.

Certes la préparation à l'avance de certains aliments fait perdre des vitamines ou de la saveur aux aliments. Mais ce sera toujours mieux qu'un hamburger ou une pizza. Personnellement, j'essaie dans la mesure du possible de faire ces préparations le week-end, puis en milieu de semaine.

Des écarts autorisés

L'alimentation joue un rôle social évident (sortie, repas en famille ou entre amis) et il est parfois difficile de manger correctement ou de tenir le cap sans se désocialiser. Aussi est-il important d'avoir des soupapes de sécurité à l'intérieur d'une structure alimentaire et diététique optimisée donc quelque peu rigide.

De plus, comme nous l'avons indiqué en première partie, la perte de graisse est perçue par notre cerveau comme quelque chose de dangereux pour sa survie. Il s'y adapte en diminuant ses dépenses en énergie de base, puis en nous poussant à nous ruer sur des aliments gras et sucrés via des mécanismes complexes, lorsque le niveau de certaines hormones comme la leptine devient trop bas. Pour éviter cela, une stratégie consiste à utiliser la technique du « refueling énergétique ».

Partons du principe que vous consommez 5 repas/collations par jour (voir les règles de base page 65), cela représente 35 repas/collations par semaine. Vous pouvez vous autoriser des écarts pour 10 % de ces 35 repas – soit pour 3 à 4 repas/collations par semaine. Lors de vos écarts, tout est autorisé : votre gâteau préféré, ½ pizza, une bonne crêpe complète, un bon morceau de fromage, etc. Certaines personnes choisissent d'utiliser leur « 10 % » lors d'une seule journée. C'est la stratégie que j'utilise à titre personnel lorsque je veux sécher. À l'issue de cette journée je me sens reboosté. Il est également possible d'utiliser ces « 10 % » sur l'ensemble de votre semaine (un repas par-ci, une collation par-là). Cela facilite les relations humaines sans engendrer de sentiments de frustration. Chacun est différent et en fonction de votre personnalité et il vous appartient de trouver ce qui fonctionne le mieux pour vous.

Si ce genre de stratégie reste valable quel que soit votre poids, il faut la moduler en fonction de votre silhouette et de vos objectifs. Plus vous avez de graisse à perdre et plus vous devez contrôler les aliments choisis et leur quantité ingérée. À l'inverse, plus vous êtes sec et plus votre organisme peut tolérer des aliments très énergétiques et en quantité.

Utilisez les compléments et stimulants alimentaires intelligemment

Tous les compléments alimentaires commercialisés sous le label « aide-minceur » ou « brûleur de graisses » ne sont pas efficaces ! Et, comme nous l'avons vu dans la partie *Comprendre*, ils doivent être associés à une activité physique (pour brûler les graisses libérées) et une alimentation équilibrée ou très légèrement hypocalorique.

La majorité des brûleurs de graisses contiennent des nutriments synergiques visant à augmenter le métabolisme de base, la libération d'adrénaline (ou à mimer l'adrénaline), le transport des graisses libérées, la fabrication de neurotransmetteurs (dopamine, noradrénaline, sérotonine) ou encore des molécules qui contrôlent la sécrétion d'insuline.

Voici la liste des compléments isolés que vous devez rechercher au sein d'un bon brûleur de graisses ou que vous pouvez vous-même concevoir en prenant chaque molécule en même temps à jeun le matin au réveil :
• 100 mg de caféine ou de guarana (plante contenant de la caféine)
• 300 mg d'extrait de thé vert (contenant 95 % de polyphénols)
• 300 mg de *Citrus aurantium* (contenant de la synéphrine)
• 2 à 3 g de tyrosine (un acide aminé)
• 500 mg à 1 g de phénylalanine (un acide aminé). Attention certaines personnes y sont allergiques
• 300 mg de 5-HTP (un dérivé de l'acide aminé tryptophane agissant sur la sérotonine)
• 100 mg de chrome (sous forme de chrome picolinate)

Rappelons que tous ces compléments ne peuvent fonctionner que lorsque l'organisme fonctionne correctement ce qui sous-entend que vous adoptiez une alimentation équilibrée et à haute densité nutritionnelle, c'est-à-dire vous apportant beaucoup de vitamines et minéraux et acides gras essentiels.

Le coup de pouce du laser Zerona

Communément utilisée pour modifier la silhouette, la liposuccion est en passe de se voir supplantée par une nouvelle technique d'intervention non invasive au laser. Les rayons infrarouges produits par ce laser thérapeutique stimulent la réparation des tissus, favorisent la production d'énergie, assurent une meilleure oxygénation et une meilleure détoxication des cellules. Après une séance de laser, l'activité cellulaire se normalise, la douleur diminue et les mécanismes de défense et de croissance cellulaires sont rehaussés. Mais les scientifiques de la société qui a conçu ce laser se sont aperçus qu'il agissait également sur les cellules graisseuses.

Testé depuis plusieurs mois aux États-Unis, le laser Zerona de la société Erchonia (n°1 mondial du laser athermique) semble avoir fait ses preuves puisqu'il commence à être commercialisé en Europe. Pour l'heure son usage est encore limité à quelques spécialistes précurseurs.

Ce laser de nouvelle génération stimule la membrane des adipocytes (cellules graisseuses) qui se vident de leur contenu (triglycérides, cholestérol, etc.). Cette liquéfaction graisseuse est ensuite éliminée, soit par des massages, drainages ou tout simplement par l'activité physique. En quelques séances et sans intervention, plusieurs centimètres de tour de taille, cuisse, abdomen sont ainsi perdus. Selon les spécialistes, à raison de 3 séances hebdomadaires d'environ 40 minutes, ce ne sont pas moins de 10 cm de tour de taille que la silhouette du patient peut perdre en un mois. Au vu de ces résultats plus qu'encourageants, on comprend facilement le succès que va rencontrer dans les mois à venir cette technologie révolutionnaire et ce, d'autant plus qu'une intervention au laser Zerona s'avère moins onéreuse qu'un acte de chirurgie traditionnel comme la liposuccion et surtout totalement indolore !

Cependant, pour rester en forme avec un beau corps, rien ne remplacera jamais une nutrition équilibrée et une pratique sportive cohérente car même avec le laser, les kilos de graisses reviennent petit à petit si vous ne faites pas attention. Cependant cette innovation se devait de figurer dans ce livre car d'ici quelques années elle permettra à n'importe qui, en l'espace de quelques semaines, de retrouver un corps de rêve en combinant le future triptyque de la minceur : laser + exercices physiques + alimentation équilibrée.

LE PLAN « COUVERTURE DE MAGAZINE » EN SIX JOURS

Ce plan s'adresse à des personnes dont les abdos sont déjà apparents à un certain degré, mais qui souhaiteraient avoir une définition musculaire plus importante en vue d'une journée particulière (séance photo, mariage, journée importante à la plage...). Beaucoup de gens ont cet objectif, même ceux qui s'entraînent dur et qui font attention à leur alimentation. Ils ont ce qu'on appelle un physique de niveau 2. Il existe en effet plusieurs niveaux de définition musculaire selon le pourcentage de matière grasse que vous affichez. Plus ce pourcentage est bas, plus vous aurez un look « sec », voire des abdos profondément détachés.

Le physique de niveau 1 est caractérisé par une silhouette mince mais dans laquelle l'ensemble de la musculature, et particulièrement celle des abdominaux, n'est pas visible. C'est généralement le physique qui caractérise les gens qui font attention à leur alimentation et/ou qui font 2 ou 3 séances de sport hebdomadaires.

Le physique de niveau 2 est caractérisé par une silhouette sportive ou athlétique : la personne affiche des muscles et on distingue plus ou moins ses abdominaux.

Le physique de niveau 3 est caractérisé par des muscles très dessinés et apparents, un pourcentage de graisse très bas (le fameux « look sec ») et la personne affiche des tablettes de chocolat. À ce stade on peut considérer que vous avez un physique de couverture de magazine.

Le physique de niveau 4 est caractérisé par une silhouette rappelant celle des « écorchés » : chaque mouvement de la personne permet de voir les fibres musculaires bouger sur chaque muscle. C'est le physique des bodybuilders en compétition ou des athlètes participant à la finale du 100 m olympique. Autrement dit c'est un physique hors normes.

Le plan détaillé plus bas vous permettra de passer du physique 2 au 3 ou du physique 3 au 4 en l'espace de six jours. Si vous avez un physique 1, ce plan ne sert à rien. Votre priorité est d'abord de diminuer votre pourcentage de graisse corporelle pour passer à un physique 2.

La manipulation des fluides

Mais comment est-il possible de passer d'un niveau 2 à un niveau 3 ou d'un 3 au 4 en l'espace de six jours ? Il est arrivé à tous les gens qui s'entraînent beaucoup et qui font attention à leur alimentation de manipuler accidentellement les niveaux de fluides sous la peau. Qui ne s'est pas regardé un jour au réveil dans la glace en se disant « je suis plus sec qu'hier ! » ? Et inversement 2 jours plus tard la même personne se regardait à nouveau dans le miroir et avait l'impression que sa musculature était recouverte d'une couche d'eau. Dans un cas comme dans l'autre vous n'avez ni perdu de la graisse en une nuit, ni gagné de la graisse en deux jours. Dans la majorité des cas et mise à part une réaction allergique ou d'hypersensibilité à un aliment, ces changements de physique sont dus à des fluctuations d'eau sous-cutanée. En gros vous aviez mangé et bu certaines choses et vous vous étiez entraîné d'une certaine façon, ce qui a provoqué une rétention ou, au contraire, une excrétion d'eau sous-cutanée.

Dans le plan détaillé plus bas nous allons tout simplement influencer de façon contrôlée l'excrétion et la rétention au niveau musculaire de l'eau contenue entre la peau et les muscles.

Voici les trois facteurs que nous allons manipuler afin de permettre une évacuation de l'eau sous-cutanée en 6 jours :

• **Les glucides** : un régime pauvre en glucides et riches en protéines est naturellement diurétique, c'est-à-dire qu'il favorise l'évacuation de l'eau. En limitant votre ingestion de glucides vous allez perdre de l'eau qui se trouve à l'intérieur des muscles mais également de l'eau qui se trouve à l'extérieur juste sous la peau.

• **La consommation d'eau** : on ne devient sec en ne buvant pas d'eau, du moins dans les premiers jours de ce programme. En consommant beaucoup d'eau vous mettez votre organisme en mode diurétique naturel (en diminuant la quantité d'aldostérone, une hormone qui maintient le bon ratio entre le sodium et le potassium à l'intérieur et l'extérieur des cellules). Durant la majorité de ce programme votre objectif sera de boire entre 4 et 5 l d'eau par jour (7 à 8 litres s'il fait chaud). La veille de la journée où vous voulez être à votre meilleur avantage, vous stopperez toute consommation d'eau à partir de 16 ou 17 h.

• **L'entraînement** : l'objectif de l'entraînement durant cette semaine sera de diminuer au maximum vos réserves de glycogène (le sucre contenu dans les muscles). En agissant ainsi votre musculature sera avide de glucides et dans la mesure où chaque gramme de glucides se combine à 2,7 g d'eau, nous pourrons obtenir un physique à la fois athlétique et très sec grâce à la mise en place de ces trois stratégies et du timing précis que je vous ai indiqué.

Votre plan sur six jours

Jour 1 : 4 à 5 l d'eau, uniquement 50 à 70 g de glucides sur la journée dont 40 après l'entraînement. En pratique ne consommer que des protéines (viande poisson) accompagnées de légumes à chacun de vos repas et collations. Pour les glucides consommez quatre ou cinq grains de raisin accompagnés d'une omelette au petit déjeuner, et une quinzaine de grains de raisin ou cinq à six abricots secs accompagnés de vos whey protéines après votre entraînement.

Jour 2 : idem

Jour 3 : idem

Jour 4 : idem

Jour 5 : c'est la journée où vous rechargez votre corps et vos muscles en glucides. Lors de cette journée consommez cinq à six petits repas contenant chacun 50 à 75 g de glucides. Lors du premier et second repas, consommez vos glucides sous forme de fruits ce qui favorisera une augmentation très rapide du glycogène dans le foie. Or plus le foie récupère rapidement son glycogène, meilleure est la rétention musculaire du glycogène. Lors des repas trois et quatre, consommez des glucides à index glycémiques moyens ou élevés comme des flocons d'avoine, du riz blanc ou des pommes de terre.

Il est important de stopper votre consommation d'eau brutalement à partir de quatre ou cinq heures de l'après-midi mais de continuer à manger un ou deux repas riches en glucides. Le dernier ou les deux derniers repas doivent contenir à la fois des glucides à index glycémiques moyens et élevés.

Vous pouvez également prendre un bain très chaud avant de vous coucher afin d'augmenter votre température et favoriser encore un peu la transpiration et donc l'excrétion d'eau sous-cutanée.

Jour 6 : c'est le grand jour. En fonction de votre physique votre petit déjeuner sera plus ou moins différent :

• Vous avez le physique que vous vouliez : une petite portion de fruits accompagnés d'une dose de protéines en poudre avec un tout petit peu d'eau. Quelques gorgées d'eau jusqu'au moment fatidique.

• Vous avez encore un peu d'eau sous-cutanée : une dose de protéines avec un tout petit peu d'eau. Rincez-vous simplement la bouche jusqu'au moment fatidique.

Une fois votre rendez-vous important achevé, recommencez à boire graduellement. On a souvent très soif et la première des choses que les gens font c'est de boire presque une bouteille d'eau d'un coup. Étalez plutôt vos prises toutes les 30 minutes, pendant plusieurs heures.

Quelques rappels importants

Ce genre de programme ne doit être utilisé que si vous avez un physique laissant déjà apparaître votre musculature. Il ne doit pas être utilisé toute l'année mais uniquement pour des journées particulières. Il est important de préciser que chaque organisme est différent et réagit de façon différente à ce genre de manipulation de l'eau et des glucides. À ce titre, certaines personnes ont besoin par exemple de deux jours de recharge en glucides pour paraître à leur meilleur niveau.

À ceux et celles qui vivent grâce à l'utilisation de leur corps, je conseille de faire un essai de ce programme avant la journée « officielle ».

Notez également que ce genre de protocole ne doit pas être utilisé la semaine d'une compétition sportive dans laquelle vous devez être performant physiquement. Ce programme a été mis en place pour les bodybuilders, les mannequins et les acteurs et actrices afin de les aider à avoir ce look si particulier et si extrême parfois. Gardez toujours en tête que certains physiques que vous voyez au cinéma ou dans les clips ou en couverture des magazines sont toujours le fruit de ce genre de manipulation extrême ou de l'utilisation d'un bon logiciel de retouche numérique. Dans une société gouvernée par l'image, il me semble important de préciser cela.

EN PRATIQUE

3

L e programme de renforcement du centre que je vous propose est basé sur une progression en fonction de votre type de posture. Il comporte 3 phases d'exercices.

Les fiches d'exercices de la phase 1 ont pour objectif de reprogrammer les bons schémas moteurs. Elles s'adressent à tous les types de posture (1, 2 et 3).

▶ La phase 1 compte 8 fiches.

Les fiches d'exercices de la phase 2 ont pour objectif d'améliorer la force et l'endurance du centre. Elles diffèrent selon que vous êtes de posture 1 ou de posture 2 ou 3.

▶ La phase 2 posture 1 compte 6 fiches. La phase 2 posture 2 et 3 compte 6 fiches également.

Les fiches d'exercices de la phase 3 ont pour objectif de préparer votre centre du corps à la compétition. Elles s'adressent à tous les types de posture (1, 2 et 3).

▶ La phase 3 compte 9 fiches.

COMMENT UTILISER UNE FICHE

Chaque fiche est un circuit d'exercices (enchaînement de 2 à 4 exercices). Ils doivent être exécutés les uns à la suite des autres. À la fin du circuit (avant d'entamer le suivant), un temps de récupération doit être pris.

Le nombre de répétitions, le nombre de séries et le temps de récupération sont donnés au bas de chaque fiche.

Certaines fiches comportent 2 niveaux de difficulté : niveau basic (circuit page de gauche), niveau avancé (circuit page de droite).

On passe du niveau basic au niveau avancé lorsque tous les exercices paraissent faciles.

COMMENT CONSTRUIRE VOTRE PROGRAMME

Il y a plusieurs façons d'utiliser les fiches de ce livre. Je distingue principalement quatre cas de figure :

• vous n'avez pas d'activité sportive régulière, vous avez mal au dos ou un bourrelet sur le ventre dont vous voulez vous débarrassez, vous recherchez un programme de renforcement du centre global ;

• vous avez une activité sportive régulière et vous recherchez un programme d'échauffement du centre optimisé (réveil des muscles) ;

• vous avez une activité sportive régulière que vous voulez compléter par un programme de renforcement du centre ;

• Vous êtes un sportif de haut niveau, vous avez une compétition en vue et vous souhaitez améliorer vos performances en amenant votre centre du corps au top niveau.

IMPORTANT : À FAIRE SYSTÉMATIQUEMENT

Les fiches 1 et 2 de la phase 1 (fiches mobilisation) doivent être exécutées systématiquement avant une séance de sport (séance de renforcement du centre, musculation, course à pied, tennis etc.) par tout le monde car il s'agit d'exercices d'échauffement correctifs. Ces exercices peuvent également être pratiqués à temps perdu.

Comment : effectuer idéalement l'intégralité des fiches 1 et 2. Si vous avez peu de temps, mieux vaut n'exécuter qu'une fiche sur les deux plutôt qu'aucune.

Combien : 6 à 10 répétitions (6 à 10 reps)

PROGRAMME DE RENFORCEMENT DU CENTRE POUR LES NON SPORTIFS

Il vise à renforcer la musculature du centre ce qui est indispensable pour lutter contre les effets néfastes de la position assise et entre autres, le mal de dos. Si vous n'êtes pas sportif, inutile de vous torturer, quelques séances dans la semaine, même courtes, peuvent déjà réveiller et renforcer l'ensemble des muscles du centre. Le programme de renforcement que je vous propose est un investissement peu coûteux et très rentable pour votre santé à long terme.

Quand :
Aussi souvent que votre emploi du temps vous le permet. Idéalement 3 à 4 séances de renforcement par semaine.

Programme :
• Effectuez toutes les fiches de la **phase 1** pendant 1 mois minimum en prenant soin de respecter votre posture et votre niveau (basic ou avancé) puis passer à la phase 2. Si cela vous parait trop long, n'effectuez qu'une série de chaque fiche.
• **Phase 2** : exécutez 3 ou 4 fiches au choix en prenant soin de changer de fiches d'une séance à l'autre. Veillez à adopter une bonne posture de travail et gardez en tête que toute douleur n'est pas normale. En cas de difficulté à maintenir la posture ou en cas de douleur, mieux vaut revenir en arrière plutôt que de se blesser.

PROGRAMME D'ÉCHAUFFEMENT DU CENTRE AVANT UNE ACTIVITÉ SPORTIVE

Il vise à réveiller la musculature du centre du corps, à rééquilibrer le tonus musculaire autour de l'articulation du bassin. Ce programme consiste à choisir une fiche de la phase 1 et une de la phase 2 et à effectuer quelques répétitions (ou maintenir les positions indiquées pendant quelques secondes) afin de réveiller les muscles, à l'instar du pilote qui effectue ces vérifications avant un vol. Ces exercices d'activation se réalisent lors de l'échauffement avant une activité sportive. On s'assure ainsi du bon gainage du centre du corps. Dans ce contexte, une série suffit. Il est important de ne pas fatiguer les muscles de l'unité profonde et superficielle, qui devront bénéficier de leur plein potentiel lors de l'activité physique que vous allez pratiquer.

Quand :

Avant toute pratique sportive (pendant votre échauffement)

Comment :

Prenez 1 fiche de la phase 1 et 1 fiche de la phase 2 adaptée à votre posture.

Combien :

Effectuez 1 série de 6 répétitions ou maintenez 10 secondes chaque position indiquée (ceci correspond à un volume de travail inférieur à celui qui est indiqué sur les fiches car celles-ci ont été conçues pour renforcer et non pas simplement échauffer.)

PROGRAMME DE RENFORCEMENT DU CENTRE POUR LES SPORTIFS

Il vise à développer la force, l'endurance et l'explosivité du centre du corps. Il s'effectue à la fin d'une activité sportive, ou à la fin d'une séance de musculation comme celles que je propose dans mes livres *Musculation haute densité* et *Musculation athlétique*. Dans ces conditions, plusieurs séries d'une même fiche ou l'exécution de plusieurs fiches sont nécessaires. Attention : il est essentiel d'effectuer une fiche dans sa totalité (un circuit d'exercices complet) en respectant le nombre de répétitions demandées pour chaque exercice. Il est très courant en effet qu'au sein d'un circuit, les personnes effectuent 20 répétitions de l'exercice qui sollicite la sangle abdominale et seulement 10 répétitions de celui qui sollicite les muscles fessiers et les érecteurs de la colonne. Résultat : on maintient un déséquilibre musculaire à l'intérieur d'un circuit censé rééquilibrer.

Quand :

À la fin d'une séance de sport (musculation, course à pied, ou autre) ou lors de séance dédiée.

Comment :

Prenez une ou plusieurs fiches en fonction du temps dont vous disposez. Sélectionnez-les dans la phase 1 tout d'abord pendant 3 ou 4 semaines, puis dans la phase 2, niveau basic (page de gauche) pour commencer puis niveau avancé (page de droite). En moyenne, la phase 2 niveau basic doit durer 3 ou 4 semaines et autant pour la phase 2 niveau avancé. Rappelez-vous que l'on ne passe au niveau avancé que lorsque tous les exercices paraissent faciles. Veillez à adopter une bonne posture de travail et gardez en tête que toute douleur n'est pas normale. En cas de difficulté à maintenir la posture ou en cas de douleur, mieux vaut revenir en arrière plutôt que de se blesser. Lorsque vous avez exécuté la phase 1 et les 2 niveaux (basic et avancé) de la phase 2, soit vous revenez à la phase 1, soit vous passez en phase 3 en fonction de vos objectifs.

Combien :
• Phase 1 : lire les indications sur les fiches
• Phase 2 : lire les indications sur les fiches

PROGRAMME DE RENFORCEMENT DU CENTRE AVANT UNE COMPÉTITION

Il débute 4 semaines avant la compétition et fait appel uniquement aux fiches de la phase 3. Ce programme ne doit pas être utilisé toute l'année que ce soit en activation ou lors d'un travail de renforcement musculaire. En effet les chaînes musculaires du corps doivent être sollicitées de façon variée au fil du temps mais toujours de façon équilibrée afin de pouvoir se régénérer et progresser. Les maillons centraux que représentent l'unité profonde et superficielle au sein des différentes chaînes musculaires du corps ne font pas exception à la règle. Les niveaux de force et d'explosivité requis par les exercices de la phase 3 ne peuvent être maintenus toute l'année car ils imposent un stress mécanique important tant sur la musculature que sur les articulations. Ce programme doit être réservé à certaines phases précompétitives afin de préparer le corps du sportif aux exigences des sollicitations explosives qu'il va rencontrer.

Quand :
Après un échauffement et avant des exercices globaux de force et d'explosivité (sprint, musculation lourde ou explosive, combat etc.)

Comment :
Choisir seulement 2 fiches parmi celles de la phase 3

Combien :

Entre 6 et 10 reps ou 6 à 10 sec selon les exercices

LE MATÉRIEL

Pour effectuer les exercices de ce livre, il vous faut :

• des élastiques : un court d'environ 20 cm et un long d'environ 1 m. Vous trouverez des conseils sur mon forum pour choisir les tensions (www.christophe-carrio.com),

• un swiss ball (gros ballon de gymnastique),

• un médecine-ball (ballon lesté),

• un banc (chaise ou tabouret),

• un flexibar (tige de 150 cm en fibre de verre lestée de 2 poids aux extrémités),

• des haltères ou des poids,

• une barre en bois d'1 m et de 2,5 cm de diamètre (style morceau de tringle à rideau) avec crochet vissé à l'extrémité et un mousqueton (voir page 158),

• un rouleau de massage (rouleau de mousse très dense en vente prochainement sur la boutique du site www.lanutrition.fr),

• une serviette éponge.

Si vous ne disposez pas de tout le matériel nécessaire pour effectuer une fiche, changez de fiche ou bien remplacez l'exercice que vous ne pouvez exécuter par un autre exercice en respectant la logique d'un travail musculaire équilibré : si vous travaillez les abdominaux et les chaînes musculaires antérieures (devant le corps), vous devez obligatoirement faire travailler les muscles fessiers, paravertébraux ou la chaîne postérieure (derrière le corps).

››› FICHE 1 TOUS NIVEAUX

A. • PRENDRE appui sur le rouleau, tout en gardant les fesses au sol. Rouler doucement le long de la colonne en faisant des allers-retours.

B. • EN APPUI sur le rouleau placé au milieu du dos, mobiliser doucement chaque étage de la colonne en flexion et extension (sans rouler). Déplacer de 2 cm le rouleau en direction du cou puis recommencer (flexion et extension de la colonne). Ainsi de suite jusqu'aux épaules (6 fois en tout). Effectuer le mouvement en souplesse, sans forcer.

C. • LA TÊTE, la colonne et le bassin en appui sur le rouleau, essayer de monter l'épaule droite le plus haut possible puis la descendre le plus bas possible. Même chose en tendant le bras gauche vers l'arrière. Il ne doit y avoir aucune compensation au niveau de la colonne. Changer de côté.

D. • MAINS au niveau des oreilles, ouvrir les coudes vers le sol.

▶ QUAND : **avant une séance dédiée au renforcement du centre, avant une séance de musculation ou de cardio**
COMBIEN : **1 série/10 reps**
RÉCUPÉRATION : **aucune**

››› FICHE 2 TOUS NIVEAUX

A. **A QUATRE PATTES**, enrouler le dos en rentrant la tête, puis inverser : cambrer et tirer la tête vers le haut. Effectuer le mouvement en souplesse et sans forcer.

B• ASSIS sur le bord d'un banc ou sur un tabouret, serrer un mini ballon ou un rouleau
entre les genoux. Placer les mains derrière la tête, tirer les coudes vers l'arrière,
s'autograndir. Inspirer puis pivoter vers la droite, progressivement jusqu'au maximum.
Ensuite s'incliner vers la droite (en arrière), doucement, puis vers la gauche (en avant),
en soufflant. Revenir au centre, inspirer et recommencer de l'autre côté.

QUAND : **avant une séance dédiée au renforcement du centre, avant une séance de
musculation ou de cardio**
COMBIEN : **1 série/6 à 10 reps**
RÉCUPÉRATION : **aucune**

››› FICHE 3 TOUS NIVEAUX

PHASE 1

A. **A QUATRE PATTES**, enrouler le dos en rentrant la tête, puis inverser : cambrer et tirer la tête vers le haut. Effectuer le mouvement en souplesse et sans forcer.

B. **ALLONGÉ** sur le dos, contracter le plancher pelvien (stop pipi), puis rentrer le nombril le plus possible. Tenir 3 sec puis gonfler le ventre. Recommencer.

〉〉〉

C. A QUATRE PATTES, contracter le plancher pelvien (notion d'aspiration), s'autograndir, puis rentrer le nombril le plus possible sans modifier les courbures de la colonne. Tenir 3 sec puis gonfler le ventre. Recommencer.

D. ASSIS à cheval sur le rouleau, les mains derrière la tête, chercher à s'autograndir, puis contracter le plancher pelvien et aspirer le nombril le plus possible pendant 3 sec, relâchez et recommencez.

▶ QUAND : **lors d'une séance dédiée au renforcement du centre, avant une séance de musculation ou de cardio**
COMBIEN : **2 séries/6 à 10 reps**
RÉCUPÉRATION : **aucune**

››› **FICHE** 4 TOUS NIVEAUX

A. COINCEZ le rouleau entre les genoux, mettre les mains derrière la tête et s'autograndir en contractant bien les fessiers. Contracter le plancher pelvien et aspirer le nombril pendant 3 sec.

B. A GENOU, mains au niveau des oreilles et coudes posés sur les genoux. Tirer les coudes vers le haut, puis redresser lentement le torse.

C. • SERREZ le rouleau entre les genoux, puis s'autograndir en levant le bras droit à la verticale tout en tirant le bras gauche vers le sol. Remonter et inverser. Ainsi de suite.

D. • ALLONGÉ sur le côté, un élastique autour des genoux, les jambes pliées, les talons dans l'alignement du bassin. Sans aucun mouvement au niveau de la colonne, monter le genou supérieur le plus possible (sans mouvement de la colonne et du bassin) ainsi de suite puis changer de côté.

▶ **QUAND :** lors d'une séance dédiée au renforcement du centre, avant une séance de musculation ou de cardio
COMBIEN : 2 séries/6 à 10 reps
RÉCUPÉRATION : aucune

››› FICHE 5 **BASIC**

A. ALLONGÉ sur le dos, une serviette roulée dans le bas du dos pour maintenir la cambrure naturelle de la colonne et les genoux ramenés à 90°. Pousser les mains vers le plafond et aspirer le nombril tout en contractant le plancher pelvien. Aller toucher le sol avec un talon (sans relâcher le nombril et le plancher pelvien). Ainsi de suite pour le nombre de répétitions.

B. À QUATRE PATTES, garder les courbures naturelles du dos, contracter le plancher pelvien. Soulever lentement et simultanément de quelques millimètres la main gauche et le genou droit. Tenir 10 sec et inverser.

〉 〉 〉

C • EN POSITION assise, les mains en appui sur un banc (les fesses dans le vide), chercher à s'autograndir, monter le genou gauche puis la main droite. Tenir la position pendant 10 sec puis inverser.

▶ **QUAND : lors d'une séance dédiée au renforcement du centre, avant une séance de musculation ou de cardio**

COMBIEN : 2 à 4 séries/6 à 10 reps (ou 10 sec)

RÉCUPÉRATION : aucune

REMARQUE : lorsque ces trois exercices sont effectués parfaitement (bonne posture de travail) et avec facilité, passer au niveau avancé

›› **FICHE** 5 [AVANCÉ]

A. ALLONGÉ sur le dos, une serviette roulée dans le bas du dos pour maintenir la cambrure naturelle de la colonne et les genoux ramenés à 90°. Pousser les mains vers le plafond et aspirer le nombril tout en contractant le plancher pelvien. Tendre une jambe vers l'avant et le bras opposé vers l'arrière (sans relâcher le nombril et le plancher pelvien). (Tendre la jambe jusqu'à en perdre le contrôle). Ainsi de suite pour le nombre de répétitions.

B. À QUATRE PATTES, garder les courbures naturelles du dos, contracter le plancher pelvien. Soulever lentement et simultanément le bras droit et la jambe gauche, tout deux tendus. Il ne doit y avoir aucun mouvement de la colonne. Tenir 10 sec et inverser.

C. À QUATRE PATTES, garder les courbures naturelles du dos, contracter le plancher pelvien. Soulever lentement et simultanément le coude droit et le genou gauche latéralement sans bouger le bassin (avant-bras droit et mollet gauche à l'horizontale). Tenir 5 à 10 sec et inverser.

D. EN POSITION assise, les mains en appui sur un banc (les fesses dans le vide), chercher à s'autograndir, monter le genou gauche puis la main droite et enfin ouvrir latéralement le bras et le genou. Tenir la position pendant 10 sec puis inverser.

▶ **QUAND :** lors d'une séance dédiée au renforcement du centre, avant une séance de musculation ou de cardio
COMBIEN : 2 à 4 séries/6 à 10 reps
RÉCUPÉRATION : aucune

››› **FICHE 6** <u>TOUS NIVEAUX</u>

A. ALLONGÉ sur le dos, monter la jambe droite en l'amenant vers la gauche puis faire pivoter l'ensemble du corps vers la gauche pour se retrouver face contre terre, les bras devant soi. Inverser le mouvement : soulever le bras droit puis, en déplaçant la jambe droite vers la droite et en pivotant la tête vers la droite, faire suivre le reste du corps pour se retrouver allongé sur le dos. Recommencer la séquence de l'autre côté 6 reps (3 vers la droite et 3 vers la gauche). Le mouvement est contrôlé (ni violent, ni au ralenti) comme le ferait un bébé pour passer à plat ventre ou sur le dos.

›››

B. DEBOUT en équilibre sur une jambe, chercher à s'autograndir tout en contractant le plancher pelvien et en aspirant le nombril. Faire des mouvements lentement d'avant en arrière avec la jambe en l'air et tendue, sans perdre le contrôle de sa posture (bien penser à s'autograndir). 10 reps et inverser.

▶ QUAND : **lors d'une séance dédiée au renforcement du centre, avant une séance de musculation ou de cardio**
COMBIEN : **2 à 4 séries/6 à 10 reps**
RÉCUPÉRATION : **aucune**

››› FICHE 7 BASIC

A. ALLONGÉ au sol, face contre terre, contracter le plancher pelvien, passer en appui sur les avant-bras en soulevant votre bassin et en étant appuyé sur les genoux. La tête, la colonne, le bassin et les jambes doivent rester bien alignés (imaginer que quelqu'un vous tire les cheveux au sommet du crâne). Tenir la position 10 sec.

B. ALLONGÉ de profil, en appui sur un avant-bras, contracter le plancher pelvien et soulever le bassin en étant en appui sur les genoux. Penser à garder le corps bien aligné puis changer de côté. Tenir la position 10 sec.

C. ALLONGÉ sur le dos, jambes fléchies, contracter le plancher pelvien et contracter les fesses pour monter le bassin. Les deux pieds sont en contact avec le sol. Tenir la position 10 sec ou faire 10 reps.

> **QUAND : lors d'une séance dédiée au renforcement du centre, avant une séance de musculation ou de cardio**
> **COMBIEN : 2 à 4 séries/8 à 20 reps (ou 10 à 20 sec)**
> **RÉCUPÉRATION : aucune**
> **REMARQUE : lorsque l'on tient facilement 20 sec sur tous les exercices, passer au niveau avancé**

A. ALLONGÉ au sol, face contre terre, contracter le plancher pelvien, passer en appui sur les avant-bras en soulevant votre bassin et en étant appuyé sur les pieds. La tête, la colonne, le bassin et les jambes doivent rester bien alignés (imaginer que quelqu'un vous tire les cheveux au sommet du crâne). Tenir la position 10 sec.

B. ALLONGÉ de profil, en appui sur un avant-bras, contracter le plancher pelvien et soulever le bassin en étant en appui sur les pieds. Penser à garder le corps bien aligné puis changer de côté. Tenir la position 10 sec.

C. ALLONGÉ sur le dos, jambes fléchies, contracter le plancher pelvien et contracter les fesses pour monter le bassin. Soulever un pied puis l'autre en gardant bien le bassin à l'horizontale. Tenir la position 10 sec ou faire 10 reps.

▶ **QUAND : lors d'une séance dédiée au renforcement du centre, avant une séance de musculation ou de cardio**
COMBIEN : 2 à 4 séries/8 à 20 reps (ou 10 à 20 sec)
RÉCUPÉRATION : aucune

››› FICHE 8 ERGONOMIE TOUS NIVEAUX

Ces exercices s'effectuent à temps perdu, dès que l'on y pense. Ils renforcent un schéma moteur positif ainsi que les muscles de l'unité profonde. Ils s'adressent en particulier à tous ceux qui ont chroniquement mal au dos.

A. RAMASSER UN OBJET LOURD

Basculer les fesses vers l'arrière en cambrant le bas du dos, contracter le plancher pelvien et aspirer le nombril. Bomber le torse, soulever l'objet.

OUI   NON

B. RAMASSER UN OBJET LOURD EN FENTE

Basculer les fesses vers l'arrière en cambrant le bas du dos et fléchir les deux jambes, contracter le plancher pelvien et aspirer le nombril. Bomber le torse, soulever l'objet.

OUI   NON

PHASE 1

〉〉〉

C. S'ASSEOIR

Basculer les fesses vers l'arrière en cambrant le bas du dos. A ne pas faire : fléchir juste les genoux et haut du dos.

OUI   NON

D. RESTER ASSIS

Essayer de changer de position assise régulièrement au cours de la journée en évitant celle où vous êtes affalé sur votre siège.

OUI   OUI   NON

PHASE 2 POSTURE 1

››› FICHE 1 BASIC

A **• ALLONGÉ** sur le dos, une jambe fléchie et l'autre tendue, glisser les deux mains dans le bas du dos. Pousser la langue au palais contre les incisives, aspirer le nombril, contracter le plancher pelvien puis monter le haut du torse, la tête en direction du plafond. Le mouvement est contrôlé lors de chaque répétition. Changer de jambe fléchie lors de chaque série.

B **ALLONGÉ** sur le dos, la jambe droite fléchie en appui sur le talon, la jambe gauche repliée sur la poitrine et maintenue par les deux mains, monter le bassin vers le plafond en contractant la fesse droite et en contractant le plancher pelvien. Contracter fortement, redescendre et recommencer pour 10 reps. Changer de jambe.

▶ **COMBIEN :** 2 à 4 séries/10 à 15 reps
RÉCUPÉRATION : 20 secondes à la fin du circuit
REMARQUE : lorsque l'exercice est réalisé facilement, passer au niveau avancé

C. **ALLONGÉ** sur le dos, une jambe fléchie et l'autre tendue, glisser les deux mains dans le bas du dos. Pousser la langue au palais contre les incisives, aspirer le nombril, contracter le plancher pelvien puis monter le haut du torse, la tête en direction du plafond en décollant les coudes du sol et en soulevant une jambe (ou bien en soulevant un bras et la jambe opposée). Le mouvement est contrôlé lors de chaque répétition. Changer de jambe fléchie lors de chaque série.

D. **JAMBE** droite tendue, posée sur un rouleau au niveau du genou, la jambe gauche repliée sur la poitrine et maintenue par les deux mains, monter le bassin vers le plafond en contractant la fesse droite et en contractant le plancher pelvien. Contracter fortement, redescendre et recommencer pour 10 reps. Changer de jambe.

▶ COMBIEN : **2 à 4 séries/10 à 15 reps**
RÉCUPÉRATION : **20 sec à la fin du circuit**

››› FICHE **2** `BASIC`

A. **FACE** contre terre en appui sur les coudes et les pieds, le corps bien aligné, le plancher pelvien contracté, cambrer puis faire le dos rond dans un mouvement lent ou en alternant 1 rep lente et 1 rapide.

B. **EN APPUI** latéralement sur le coude droit, le corps bien aligné, le plancher pelvien contracté, venir toucher avec le bras gauche, la hanche droite, puis ouvrir le bras gauche le plus loin possible derrière. Ainsi de suite puis changer de côté.

C. **ASSIS**, jambes fléchies, le haut du dos et les épaules en appui sur un banc, monter le bassin en contractant fortement les fessiers. Tenir 3 sec en position haute et redescendre. Ainsi de suite.

▶ **COMBIEN : 2 à 4 séries/10 à 15 reps**
RÉCUPÉRATION : 20 sec à la fin du circuit

PHASE 2 POSTURE 1

A. **A GENOU** en position de pompe, le corps bien aligné, marcher avec les mains en allant le plus loin possible puis revenir et recommencer dans un mouvement lent ou en alternant 1 rep lente et 1 rapide.

B. **EN APPUI** sur le coude gauche, la jambe droite pliée avec le pied gauche calé derrière le pied droit, le bassin soulevé, monter le genou gauche en direction du genou droit et contracter pendant 3 sec. Relâcher et recommencer ainsi de suite, puis changer de côté.

C. **ASSIS**, jambes tendues, le haut du dos et les épaules en appui sur un banc, monter le bassin en contractant fortement les fessiers. Tenir 3 sec en position haute et redescendre. Ainsi de suite.

▶ COMBIEN : **2 à 4 séries/10 à 15 reps**
RÉCUPÉRATION : **20 sec à la fin du circuit**

››› FICHE 3 BASIC

A• **ALLONGÉ** le dos en appui sur un swiss ball, les mains au niveau des oreilles, laisser le dos s'étirer. Pousser la langue au palais contre les incisives, aspirer le nombril, contracter le plancher pelvien puis remonter le torse vers le ciel, relâcher, étirer et recommencez.

B• **À GENOUX**, dos à un élastique (ou un tendeur) fixé, l'élastique positionné entre les cuisses, aspirer le nombril, contracter le plancher pelvien puis contracter les fesses pour tirer l'élastique entre les jambes. Maintenir la position 3 sec, relâcher et recommencer.

›››

C . **À GENOUX**, le corps perpendiculaire à un élastique fixé, l'élastique tenu entre les mains contre le buste, aspirer le nombril, contracter le plancher pelvien puis contracter les fesses pour s'autograndir. Pousser l'élastique vers l'avant sans bouger le torse et revenir. Ainsi de suite.

▶ COMBIEN : **2 à 4 séries/10 à 15 reps**

RÉCUPÉRATION : **20 sec à la fin du circuit**

REMARQUE : **lorsque ce circuit est réalisé facilement, passer au niveau avancé**

››› FICHE 3 AVANCÉ

A. **À GENOUX**, dos à un élastique (ou un tendeur) fixé, l'élastique positionné au niveau du front, pousser la langue au palais contre les incisives, aspirer le nombril, contracter le plancher pelvien. Garder le corps bien gainé. Tenir 10 à 15 sec.

B. **À GENOUX**, dos à un élastique (ou un tendeur) fixé, l'élastique positionné entre les cuisses, aspirer le nombril, contracter le plancher pelvien puis contracter les fesses pour tirer l'élastique entre les jambes. Ensuite marcher sur place en soulevant un genou puis l'autre. Ainsi de suite. Variante : placer l'élastique derrière la tête et marcher face à l'élastique.

C. **À GENOUX**, le corps perpendiculaire à un élastique fixé, l'élastique tenu entre les mains contre le buste, aspirer le nombril, contracter le plancher pelvien puis contracter les fesses pour s'autograndir. Pousser l'élastique vers le haut, bras tendus sans bouger le torse et revenir. Ainsi de suite.

▶ COMBIEN : **2 à 4 séries/10 à 15 reps (ou 10 à 15 sec)**
RÉCUPÉRATION : **20 sec à la fin du circuit**

››› FICHE 4 BASIC

A• **AU SOL**, en appui sur les mains et les talons, bras tendus et jambes pliées (les fesses ne touchent pas le sol), pousser la langue au palais contre les incisives, aspirer le nombril, contracter le plancher pelvien. Chercher à s'autograndir. Soulever les fesses du sol, pivoter lentement en ramenant le bras gauche. La tête, le tronc et le bassin doivent former un tout et ne pas bouger. Se retrouver en appui sur les mains et la pointe des pieds face contre terre (les genoux ne touchent pas le sol). Retourner dans la position initiale puis changer de côté. Le mouvement doit être lent puis au fil des séances de plus en plus rapide.

B • **ASSIS** à genou, bras tendus devant soi et doigts entrelacés, chercher à s'autograndir, essayer de poser lentement la fesse droite au sol, puis remonter et essayer de poser lentement la fesse gauche au sol. Ainsi de suite.

C • **A QUATRE PATTES** en appui sur les coudes, poser les fesses sur les talons et rapprocher les coudes des genoux. Tendre la jambe gauche vers l'arrière. Tendre le bras droit vers l'avant. Soulever simultanément les deux en l'air et tenir pendant 3 ou 4 sec. Reposer, ainsi de suite puis changer de côté.

▶ COMBIEN : **2 à 4 séries/10 à 15 reps**

RÉCUPÉRATION : **45 sec à la fin du circuit**

REMARQUE : **lorsque le circuit est réalisé facilement, passer au niveau avancé**

›› FICHE **4** AVANCÉ

PHASE 2 POSTURE 1

A. **AU SOL**, en appui sur les mains et les talons, bras tendus et jambes pliées (les fesses ne touchent pas le sol), pousser la langue au palais contre les incisives, aspirer le nombril, contracter le plancher pelvien. Chercher à s'autograndir. Soulever les fesses du sol, pivoter lentement en ramenant le bras gauche. La tête, le tronc et le bassin doivent former un tout et ne pas bouger. Se retrouver en appui sur les mains et la pointe des pieds face contre terre (les genoux ne touchent pas le sol). Retourner dans la position initiale puis changer de côté. Le mouvement doit être lent puis au fil des séances de plus en plus rapide.

B • **ASSIS** à genou, bras tendus au-dessus de la tête et doigts entrelacés, chercher à s'autograndir, essayer de poser lentement la fesse droite au sol, puis remonter et essayer de poser lentement la fesse gauche au sol. Ainsi de suite.

C • **A QUATRE PATTES** en appui sur les coudes, poser les fesses sur les talons et rapprocher les coudes des genoux. Tendre la jambe gauche vers l'arrière. Tendre le bras droit vers l'avant. Soulever simultanément les deux en l'air et tenir pendant 3 ou 4 sec. Reposer, ainsi de suite puis changer de côté.

▶ COMBIEN : **2 à 4 séries/10 à 15 reps**
RÉCUPÉRATION : **20 sec à la fin du circuit**

››› FICHE 5 TOUS NIVEAUX

A. • **PLACER** un genou au sol, dos à un élastique (ou un tendeur) fixé, l'élastique positionné entre vos cuisses, aspirer le nombril, contracter le plancher pelvien puis contracter les fesses pour tirer l'élastique entre les jambes. Maintenir la position 3 sec, relâcher et recommencer. Changer de côté.

B. • **À GENOUX**, le corps perpendiculaire à un élastique fixé en position basse, l'élastique tenu entre les mains contre le buste, aspirer le nombril, contracter le plancher pelvien puis contracter les fesses pour s'autograndir. Tirer l'élastique en diagonale vers l'avant et le haut sans bouger le torse et revenir. Ainsi de suite. Idem avec l'élastique accroché en position haute, le tirer en diagonale vers le bas.

›››

C . **DEBOUT,** les mains derrière la tête. Pousser la langue au palais contre les incisives, aspirer le nombril, contracter le plancher pelvien. Chercher à s'autograndir. Avancer le pied gauche. Contracter la fesse droite et incliner le corps doucement vers l'arrière, puis pivoter doucement le haut du corps vers la gauche. Remonter doucement et recommencer. Ainsi de suite pour le nombre de répétitions puis changer de jambe.

▶ **COMBIEN : 2 à 4 séries/10 à 15 reps**
RÉCUPÉRATION : 20 sec à la fin du circuit

››› FICHE 6 `BASIC`

A. **À GENOU** en position de pompe, le corps bien aligné, aspirer le nombril, contracter le plancher pelvien puis contracter les fesses, marcher avec les mains en allant le plus loin possible puis revenir et recommencer dans un mouvement lent ou en alternant 1 rep lente et 1 rep rapide.

B. **ALLONGÉ** sur le dos, les jambes pliées et les talons posés sur un swiss ball, contracter le plancher pelvien puis contracter les fesses tout en maintenant les jambes pliées. Maintenir la position finale 3 sec, redescendre et ainsi de suite.

C. **EN APPUI** sur les jambes pliées, les épaules sur le swiss ball, contracter le plancher pelvien et les fesses, puis faire pivoter le torse les bras tendus. Revenir et faire pivoter le torse de l'autre côté. Ainsi de suite.

D. **SE PLACER** en équilibre à genoux sur le swiss ball puis essayer de garder l'équilibre tout en changeant de position.

▶ COMBIEN : **2 à 4 séries/8 à 12 reps**

RÉCUPÉRATION : **45 sec à la fin du circuit**

››› FICHE 6 AVANCÉ

PHASE 2 POSTURE 1

A. **À GENOU** en position de pompe, le corps bien aligné et les mains en appui sur un swiss ball, aspirer le nombril, contracter le plancher pelvien puis contracter les fesses. Tendre les bras vers l'avant doucement. Puis revenir quand vous sentez que vous perdez le contrôle.

B. **EN APPUI** sur une seule jambe pliée et le haut du dos sur le swiss ball, contracter le plancher pelvien puis contracter vos fesses pour monter le bassin et le genou libre le plus haut possible. Tenir la position 3 sec, redescendre et ainsi de suite.

〉〉〉

C. **EN APPUI** sur les jambes pliées, les épaules sur le swiss ball, contracter le plancher pelvien et les fesses, puis faire pivoter le torse les bras tendus. Revenir et faire pivoter le torse de l'autre côté. Ainsi de suite.

D. **SE PLACER** en équilibre à genoux sur le swiss ball puis essayer de garder l'équilibre tout en changeant de position.

▶ COMBIEN : **2 à 4 séries/8 à 12 reps**
RÉCUPÉRATION : **45 sec à la fin du circuit**

››› FICHE 1 BASIC

A • **ASSIS**, les jambes légèrement fléchies, lever les bras vers le ciel et chercher à s'autograndir, tout en bombant le torse. Aspirer le nombril et contracter le plancher pelvien, puis soulever une jambe du sol en essayant de la tendre et sans modifier la posture. Tenir 5 sec puis changer de côté. Ainsi de suite.

B • **ALLONGÉ** sur le dos, bras fléchis et posés à hauteur de la tête. Plier les genoux à 90 ° et les maintenir ainsi en l'air. Aspirer le nombril, contracter le plancher pelvien, pousser la langue au palais contre les incisives puis pousser dans les coudes pour soulever le haut du dos. Maintenir la position 3 sec et recommencer ainsi de suite.

›››

C. **ASSIS** sur les fesses, passer en équilibre jambes fléchies. Aspirer le nombril, contracter le plancher pelvien, pousser la langue contre le palais et les incisives, chercher à s'autograndir tout en bombant le torse. Les bras, tendus, sont positionnés à la gauche des hanches. Les monter en diagonale vers la droite comme pour déposer un objet. Ainsi de suite, puis changer de côté en cours de série ou lors de la série suivante.

▶ COMBIEN : **2 à 4 séries/6 à 10 reps**
RÉCUPÉRATION : **30 sec à la fin du circuit**

››› FICHE 1 AVANCÉ

A. **ASSIS**, les jambes légèrement fléchies, lever les bras vers le ciel et chercher à s'autograndir tout en bombant le torse. Aspirer le nombril et contracter le plancher pelvien puis soulever une jambe tendue sans modifier la posture. Tenir 5 sec puis changer de côté.

B. **ALLONGÉ** sur le dos, bras fléchis et posés à hauteur de la tête, plier les genoux à 90 ° et les maintenir ainsi en l'air. Aspirer le nombril, contracter le plancher pelvien, pousser la langue au palais contre les incisives puis pousser dans les coudes pour soulever le haut du dos et rapprocher les pieds du sol sans le toucher. Maintenir la position 3 sec et recommencer ainsi de suite.

›››

C **• ASSIS** sur les fesses, passer en équilibre jambes fléchies. Aspirer le nombril, contracter le plancher pelvien, pousser la langue contre le palais et les incisives, chercher à s'autograndir tout en bombant le torse. Les bras, tendus, sont positionnés à la gauche des hanches. Les monter en diagonale vers la droite comme pour déposer un objet. Ainsi de suite, puis changer de côté en cours de série ou lors de la série suivante.

▶ COMBIEN : **2 à 4 séries/6 à 10 reps**
RÉCUPÉRATION : **30 sec à la fin du circuit**

››› FICHE **2** BASIC

A• **ALLONGÉ** sur le dos, un élastique autour des genoux, une serviette roulée dans le bas du dos pour maintenir la cambrure naturelle de la colonne et les genoux ramenés à 90°, pousser les bras dans le sol et aspirer le nombril tout en contractant le plancher pelvien. Tendre une jambe vers l'avant sans modifier la posture. Remonter dès que l'on sent que l'on perd le contrôle. Tendre l'autre jambe et ainsi de suite pour le nombre de répétitions.

B• **ALLONGÉ** sur le dos, un élastique autour des genoux, jambe droite fléchie posée au sol et jambe gauche pliée vers la poitrine. Monter le bassin vers le plafond en contractant la fesse droite et en contractant le plancher pelvien. Contracter fortement, redescendre et recommencer pour 10 reps. Changer de jambe.

C• **ALLONGÉ** de profil sur le côté gauche, monter le genoux gauche vers la poitrine tout en opposant une résistance avec la main droite. La jambe droite est tendue et décollée du sol, ainsi que le bras gauche. Tenir 10 sec et changer de côté.

▶ **COMBIEN : 2 à 4 séries/8 à 12 reps**
RÉCUPÉRATION : 20 sec à la fin du circuit

››› FICHE **2** AVANCÉ

PHASE 2 POSTURE 2 & 3

A• **ALLONGÉ** sur le dos, un élastique autour des chevilles, une serviette roulée dans le
bas du dos pour maintenir la cambrure naturelle de la colonne et les jambes tendues.
Pousser les bras dans le sol, aspirer le nombril tout en contractant le plancher pelvien
et monter une jambe vers le haut sans modifier la posture. Ainsi de suite pour le
nombre de répétitions.

B• **ALLONGÉ** sur le dos, un élastique autour des genoux, jambe droite tendue posée au sol
et jambe gauche pliée vers la poitrine. Monter le bassin vers le plafond en contractant
la fesse droite et en contractant le plancher pelvien. Contracter fortement, redescendre
et recommencer pour 10 reps. Changer de jambe.

C• **ALLONGÉ** de profil sur le côté gauche, monter le genoux gauche vers la poitrine tout en
opposant une résistance avec la main droite. La jambe droite est tendue et décollée du
sol, ainsi que le bras gauche. Tenir 10 sec et changer de côté.

▶ COMBIEN : **2 à 4 séries/8 à 12 reps**
   RÉCUPÉRATION : **20 sec à la fin du circuit**

››› FICHE 3 `BASIC`

A. • **FACE** contre terre, les bras tendus devant soi, les avant-bras posés sur un rouleau, pousser dans les bras pour soulever le torse. Maintenir la position 3 sec en inspirant, puis relâcher lentement. Ainsi de suite.

B. • **FACE** contre terre, bras gauche plié au niveau de la tête et bras droit tendu devant, soulever le bras droit et la jambe gauche tout en appuyant la main gauche et la pointe du pied droit dans le sol. Tenir la position 3 sec et relâcher. Ainsi de suite puis changer de côté en cours de série ou lors de la série suivante.

C. • **EN APPUI** sur le coude droit, le corps bien aligné, chercher à s'autograndir, contracter les muscles du plancher pelvien et soulever la jambe gauche. Ainsi de suite puis changer de côté.

▶ **COMBIEN : 2 à 4 séries/8 à 12 reps**
RÉCUPÉRATION : 20 sec à la fin du circuit

››› FICHE **3** AVANCÉ

A. • **FACE** contre terre, mains derrière les oreilles, tirer les coudes vers le plafond et soulever le torse tout en appuyant les pointes de pied dans le sol. Maintenir la position 3 sec en inspirant puis relâcher. Ainsi de suite.

B. • **FACE** contre terre, bras droit et jambe droite tendus, le bras gauche qui attrape le pied gauche en étirement sur la fesse, contracter la fesse gauche et soulever la jambe tout appuyant le bras droit dans le sol. Tenir 3 sec, relâcher. Changer de jambe d'une répétition à l'autre.

C. • **EN APPUI** sur le coude droit, le corps bien aligné, chercher à s'autograndir, contracter les muscles du plancher pelvien et soulever la jambe gauche. Ainsi de suite puis changer de côté.

▶ **COMBIEN : 2 à 4 séries/8 à 12 reps**
RÉCUPÉRATION : 20 sec à la fin du circuit

››› FICHE 4 **BASIC**

A • **ALLONGÉ** sur le dos, jambes tendues, aspirer le nombril et contracter le plancher pelvien tout en appuyant simultanément les bras dans le sol le long du corps. Monter la jambe gauche à la verticale. La laisser descendre latéralement jusqu'à sentir le bassin « partir » en torsion. Remonter à ce moment-là. Ainsi de suite puis changer de côté.

B • **ASSIS** en équilibre sur les fesses, mains derrière la tête, torse bombé, jambes fléchies, chercher à s'autograndir tout en tirant les coudes vers l'arrière. Maintenir la position sans déposer pendant 8 à 12 sec.

C • **A QUATRE PATTES**, un élastique autour des genoux, chercher à s'autograndir, aspirer le nombril, contracter le plancher pelvien et tendre la jambe droite vers l'arrière. Maintenir 10 secondes puis changer de côté.

▶ COMBIEN : **2 à 4 séries/8 à 12 reps (ou 8 à 12 sec)**
RÉCUPÉRATION : **20 sec à la fin du circuit**

››› FICHE 4 AVANCÉ

A • **ALLONGÉ** sur le dos, jambe droite fléchie et jambe gauche à la verticale tendue, aspirer le nombril et contracter le plancher pelvien tout en appuyant simultanément les bras dans le sol le long du corps. Soulever le bassin en contractant la fesse droite. Laisser descendre la jambe latéralement jusqu'à sentir le bassin « partir » en torsion. Remonter à ce moment-là. Ainsi de suite, puis changer de côté.

B • **ASSIS** en équilibre sur les fesses, mains derrière la tête, torse bombé, jambes fléchies, chercher à s'autograndir tout en tirant les coudes vers l'arrière. Maintenir la position sans déposer pendant 8 à 12 sec.

C • **FACE** contre terre, en appui sur les coudes, soulever le bras droit et la jambe gauche en maintenant le bassin à l'horizontale. Tenir 10 sec puis changer de côté.

▶ COMBIEN : **2 à 4 séries/8 à 12 reps (ou 8 à 12 sec)**
RÉCUPÉRATION : **20 sec à la fin du circuit**

››› FICHE 5 BASIC

A• **FACE** contre terre, les mains au sol et les pieds en appui sur un swiss ball, maintenir le corps bien aligné puis ramener les genoux vers la poitrine SANS enrouler la colonne. Revenir en position. Ainsi de suite.

B• **À GENOUX**, dos à un élastique (ou un tendeur) positionné entre les cuisses, aspirer le nombril, contracter le plancher pelvien puis contracter les fesses pour tirer l'élastique entre les jambes. Maintenir la position 3 sec, relâcher et recommencer.

›››

C. • **À GENOUX**, le corps perpendiculaire à un élastique fixé, l'élastique tenu entre les mains contre le buste, aspirer le nombril, contracter le plancher pelvien puis contracter les fesses pour s'autograndir. Pousser l'élastique vers l'avant sans bouger le torse et revenir. Ainsi de suite.

▶ **COMBIEN :** 2 à 4 séries/10 à 15 reps
RÉCUPÉRATION : 20 sec à la fin du circuit
REMARQUE : lorsque le circuit est réalisé facilement, passer au niveau avancé

››› FICHE 5 AVANCÉ

A. **FACE** contre terre, les mains au sol et les pieds en appui sur un swiss ball, maintenir le corps bien aligné puis ramener les genoux vers la poitrine SANS enrouler la colonne. Revenir en position. Ainsi de suite.

B. **À GENOUX**, dos à un élastique (ou un tendeur) positionné au niveau du front, pousser la langue au palais contre les incisives, aspirer le nombril, contracter le plancher pelvien, garder le corps bien gainé en contractant les fesses. Maintenir la position 3 sec, relâcher et recommencer.

> > >

C. **À GENOUX**, dos à un élastique (ou un tendeur) fixé, l'élastique positionné entre les cuisses, aspirer le nombril, contracter le plancher pelvien puis contracter les fesses pour tirer l'élastique entre les jambes. Ensuite marcher sur place en soulevant un genou puis l'autre. Ainsi de suite. Variante : placer l'élastique derrière la tête et marcher face à l'élastique.

D. **À GENOUX**, le corps perpendiculaire à un élastique fixé, l'élastique tenu entre les mains contre le buste, aspirer le nombril, contracter le plancher pelvien puis contracter les fesses pour s'autograndir. Pousser l'élastique vers le haut, bras tendus sans bouger le torse et revenir. Ainsi de suite.

▶ COMBIEN : **2 à 4 séries/10 à 15 reps**
RÉCUPÉRATION : **20 sec à la fin du circuit**

››› FICHE **6** BASIC

A. • **ASSIS** au sol, le haut du dos en appui sur le swiss ball, aspirer le nombril et contracter le plancher pelvien, puis soulever le bassin en contractant fortement les fesses. Maintenir 3 sec puis relâcher. Ainsi de suite.

B. • **FACE** contre terre, en position de pompe, aspirer le nombril et contracter le plancher pelvien tout en cherchant à s'autograndir. Monter un genou en direction de la poitrine dans l'axe, sans toucher le sol et SANS fléchir la colonne (rester un peu cambré). Revenir en position initiale, et recommencer ainsi de suite. Puis changer de jambe.

▶ **COMBIEN :** **2 à 4 séries/10 à 15 reps**
  RÉCUPÉRATION : **20 sec à la fin du circuit**
  REMARQUE : **lorsque le circuit est réalisé facilement, passer au niveau avancé**

››› FICHE **6** AVANCÉ

A**• ASSIS** au sol, jambes fléchies, mains en appui derrière soi, aspirer le nombril et contracter le plancher pelvien, puis soulever le bassin en contractant fortement les fesses. Maintenir 3 sec, puis relâcher. Ainsi de suite.

B**• FACE** contre terre, en position de pompe, aspirer le nombril et contracter le plancher pelvien tout en cherchant à s'autograndir. Monter un genou **latéralement**, sans toucher le sol et SANS fléchir la colonne. Attention : le bassin doit rester à l'horizontale. Revenir en position initiale, et recommencer ainsi de suite. Puis changer de jambe.

▶ COMBIEN : **2 à 4 séries/10 à 15 reps**
RÉCUPÉRATION : **20 sec à la fin du circuit**

›››　**FICHE 1** TOUS NIVEAUX

Ces fiches peuvent convenir aussi bien à une personne de posture 1 qu'à celles de posture 2 et 3. Ces exercices font appel à une barre nommée flexibar qui oblige les chaînes musculaires à se contracter par alternance sous l'effet de l'ondulation de la barre.

A . **DEBOUT**, jambes légèrement fléchies, tenir le flexibar à la verticale. S'autograndir, contracter le plancher pelvien tout en poussant latéralement le sol avec les pieds. Faire onduler le flexibar **de droite à gauche**. Ainsi de suite pendant 10 secondes

B . **DEBOUT**, les jambes légèrement fléchies, tenir le flexibar au-dessus de la tête à l'horizontale. S'autograndir, contracter le plancher pelvien tout en poussant latéralement le sol avec les pieds. Faire onduler le flexibar **d'avant en arrière** pendant 10 secondes.

C . **DEBOUT**, les jambes légèrement fléchies, tenir le flexibar devant soi à l'horizontale. S'autograndir, contracter le plancher pelvien tout en poussant latéralement le sol avec les pieds. Faire onduler le flexibar **de haut en bas** pendant 10 secondes.

›››

D. **DEBOUT**, les jambes légèrement fléchies, tenir le flexibar devant soi à l'horizontale. S'autograndir, contracter le plancher pelvien tout en poussant latéralement le sol avec les pieds. Faire onduler le flexibar **d'avant en arrière** pendant 10 secondes.

E. **DEBOUT**, les jambes légèrement fléchies, tenir le flexibar devant soi à l'horizontale. S'autograndir, contracter le plancher pelvien tout en poussant latéralement le sol avec les pieds. Faire onduler le flexibar **d'avant en arrière ou de haut en bas** pendant 10 secondes.

▶ COMBIEN : **3 à 4 séries/10 à 20 sec**
RÉCUPÉRATION : **30 sec**

››› FICHE **2** **TOUS NIVEAUX**

A. **ALLONGÉ** sur le dos, jambes fléchies, la tête en appui sur le rouleau, pousser dans le crâne afin de soulever tout le haut du dos. Maintenir 3 sec, relâcher et ainsi de suite.

›››

B**.** **ALLONGÉ** face contre terre, le front en appui sur le rouleau et les bras tendu vers l'arrière en appui sur les paumes de la main, pousser la langue contre les incisives, puis pousser dans le front pour soulever le haut du dos. Maintenir 3 sec, relâcher et ainsi de suite.

▶ COMBIEN : **3 à 4 séries/5 à 10 reps**
RÉCUPÉRATION : **aucune**

PHASE 3

››› FICHE 1 ATHLÉTIQUE

A. **ALLONGÉ** sur le dos, jambe droite fléchie et la gauche tendue à la verticale, aspirer le nombril, contracter le plancher pelvien et monter le bassin en contractant la fesse droite. Laisser descendre la jambe gauche latéralement vers le sol. Le bassin doit rester à l'horizontale. Remonter dès que l'on sent que l'on perd le contrôle. Ainsi de suite puis changer de côté.

B. **EN POSITION** de pompe, fléchir les bras et ramener le genou droit pour le poser sur le coude droit. Soulever la jambe gauche pendant quelques secondes.

⟩ ⟩ ⟩

C. À QUATRE PATTES, tendre latéralement le bras droit et la jambe gauche. Les soulever quelques secondes en maintenant le bassin à l'horizontale. Ainsi de suite puis changer de côté.

D. EN APPUI sur la main gauche et le pied droit, monter le bassin tout en montant le genou gauche vers la poitrine. Maintenir la position et l'alignement pour le temps voulu puis changer de côté.

▶ COMBIEN : **3 à 4 séries/8 à 12 reps (10 sec)**

RÉCUPÉRATION : **45 sec à 1 min à la fin du circuit**

››› FICHE 2 **ATHLÉTIQUE**

A. **PASSER** en fente, jambe gauche en avant et tenir un disque ou un haltère dans les mains à l'extérieur de la jambe gauche. Aspirer le nombril, contracter le plancher pelvien. Faire remonter le poids en accélérant latéralement et le positionner à l'extérieur de la jambe droite. Inversez le mouvement avec force. Ainsi de suite.

B. **TENIR** l'haltère ou le disque au-dessus de la tête et chercher à s'autograndir en imaginant écarter le sol sous les pieds. S'incliner latéralement en gardant le contrôle du poids et inverser le mouvement. Ainsi de suite.

C. **TENIR** l'haltère ou le disque entre les jambes en position de squat et chercher à
s'autograndir en imaginant écarter le sol sous les pieds. Aspirer le nombril, contracter
le plancher pelvien. Contracter violemment les fesses pour faire monter le poids vers
l'avant. Laisser le poids accumuler de l'énergie lors de la descente tout en maintenant
le corps gainé et inverser le mouvement. Ainsi de suite.

▶ **COMBIEN : 3 à 4 séries/8 à 12 reps (10 sec)**
RÉCUPÉRATION : 45 sec à 1 min à la fin du circuit

››› FICHE 3 **ATHLÉTIQUE**

PHASE 3

A. **DEBOUT** en équilibre sur la jambe gauche, le buste et la jambe droite alignés (jambe droite pivotée vers la droite), lancer le bras droit en accompagnant le mouvement avec le buste comme pour lancer une boule de bowling latéralement. Inverser le mouvement sans perdre l'équilibre et ainsi de suite.

B. **LE DOS** en appui sur un banc incliné et les genoux pliés à 90° dans les airs, les mains tiennent le haut du banc. Soulever les genoux en direction du ciel. Contrôler le mouvement et ne pas donner d'à-coups. Ainsi de suite.

›››

C. **ALLONGÉ** sur le dos, la jambe droite pliée, tenir un haltère ou un disque dans la main droite, bras tendu au-dessus de la tête. Contracter le plancher pelvien. Se redresser et prendre appui sur le bras gauche tout en regardant le poids au-dessus de soi. Passer en position de fente en faisant passer la jambe gauche vers l'arrière puis pousser dans les jambes pour se redresser. Inverser le mouvement pour se rallonger et recommencer ainsi de suite. Se reposer et faire la même chose de l'autre côté lors de la série suivante.

▶ **COMBIEN : 3 à 4 séries/6 à 10 reps**
RÉCUPÉRATION : 45 sec à 1 min à la fin du circuit

PHASE 3

››› FICHE 4 ATHLÉTIQUE

A. **SE POSITIONNER** perpendiculairement à un élastique enfilé comme un blouson au niveau de l'épaule droite. Garder le corps tonique et faire des déplacements latéraux explosifs. Ainsi de suite puis changer de côté. Variante : enfiler l'élastique par-devant pour solliciter la chaîne postérieure fonctionnelle.

〉〉〉

B • **JAMBES** fléchies et torse bombé, tenir un élastique fixé en position basse. Contracter violemment les fesses pour pousser le bassin vers l'avant et tirer l'élastique vers le haut (ou bien vers le haut et en diagonale). Accumuler la vitesse de l'élastique au retour et inverser violemment le mouvement. Ainsi de suite.

▶ COMBIEN : **3 à 4 séries/8 à 12 reps**
RÉCUPÉRATION : **45 sec à 1 min à la fin du circuit**

››› FICHE 5 **ATHLÉTIQUE**

A. **FIXER** l'élastique à votre barre de bois (barre + mousqueton). Se positionner face à l'élastique fixé en position basse, aspirer le nombril, contracter le plancher pelvien et chercher à s'autograndir. Fléchir les hanches pour s'asseoir le plus bas possible tout en gardant le buste droit et les bras tendus. Exploser vers le plafond en cherchant à amener le haut du bâton le plus haut possible. Contrôler le retour et recommencer pour le nombre de répétitions.

B. **JAMBES** fléchies, torse bombé, l'élastique et la barre sont à 45 ° derrière vous. Squatter (fléchir) en laissant le torse et les hanches être légèrement entraînés vers l'arrière et pousser la barre vers l'avant. Le mouvement doit être explosif et rapide. Ainsi de suite pour le nombre de répétitions puis changer de côté.

〉〉〉

C. **CORPS** bien rigide, la barre et l'élastique tenus au dessus de l'épaule gauche comme pour frapper avec une pioche. Aspirer le nombril, contracter le plancher pelvien, contracter les fesses et chercher à s'autograndir. Faire un mouvement de « pioche » vers l'avant. Ainsi de suite. La série suivante, placer la barre et l'élastique au-dessus de l'autre épaule.

D. **JAMBES** fléchies, torse bombé et buste fléchi au niveau des hanches, face à l'élastique, tirer la barre vers soi comme pour ramer avec une pagaie de kayak et redresser le buste en poussant dans les fesses. Le mouvement doit être explosif et rapide. Ainsi de suite pour le nombre de répétitions puis changer de côté.

▶ COMBIEN : **3 à 4 séries/8 à 12 reps**

RÉCUPÉRATION : **1 min 30 à la fin du circuit**

REMARQUE : **jouer sur la tension de l'élastique pour augmenter ou diminuer l'intensité des exercices**

››› FICHE 6 ATHLÉTIQUE

A. **A QUATRE PATTES**, poser la tête au sol, puis tendre les jambes. Chercher le point d'équilibre pour monter lentement les jambes tendues à la verticale. Maintenir la position 3 sec et contrôler la descente puis recommencer. Ainsi de suite.

B. **ALLONGÉ** sur un banc plat, saisir l'arrière du banc, ramener les genoux vers la poitrine puis tendre les jambes vers le ciel. Dans cette position, laisser descendre doucement le corps en planche. Ramenez les genoux vers la poitrine puis tendre les jambes vers le ciel et recommencer.

> > >

C. **EN POSITION** de pompe, ouvrir largement les jambes et positionner un coude au niveau de l'aine pour prendre appui. Soulever les 2 jambes quelques secondes. Ainsi de suite. Changer de côté la série suivante ou entre chaque répétition.

COMBIEN : **3 à 4 séries/3 à 6 reps**
RÉCUPÉRATION : **1 min 30**

››› FICHE 7 ATHLÉTIQUE

Dans ces exercices, le médecine-ball (ballon lesté) doit être jeté contre un mur.

A. **DEBOUT**, face au mur, le médecine-ball dans les mains, effectuer une rotation vers la droite avec les hanches, puis très rapidement inverser le mouvement. Lancer le ballon lesté devant soi, rattraper le ballon après son impact contre le mur. Répéter le mouvement comme un pendule. Ainsi de suite puis changer de côté lors de la série suivante.

B. **DEBOUT**, perpendiculaire au mur, le médecine-ball dans les mains, effectuer une rotation vers l'arrière, puis très rapidement inverser le mouvement. Lancer le ballon lesté comme une frappe de tennis. Rattraper le ballon après son impact contre le mur et répéter le mouvement comme un pendule. Ainsi de suite puis changer de côté lors de la série suivante.

PHASE 3

A. **DEBOUT**, en fente, jambes tendues, la fesse de la jambe arrière fortement contractée, le médecine-ball dans les mains au-dessus de la tête légèrement en arrière, lancer fortement le ballon lesté en avant vers le haut le plus fort possible. Rattraper le ballon après son impact contre le mur et répéter le mouvement. Ainsi de suite puis changer de jambe arrière lors de la série suivante.

COMBIEN : **3 à 4 séries/8 à 12 reps**
RÉCUPÉRATION : **1 min 30 à la fin du circuit**

››› FICHE 8 **ATHLÉTIQUE**

A. **ALLONGÉ** sur le sol, les jambes pliées, un médecine-ball tenu derrière la tête avec les mains, effectuer un relevé de buste et lancer le ballon lesté vers l'avant et le haut. Le mur le renvoie. Le rattraper, ainsi de suite dans un mouvement fluide et explosif.

B. **CE MOUVEMENT** débute en position basse, genoux fléchis (squat). Le médecine-ball est maintenu entre les jambes. La tête suit le ballon des yeux. Contracter fortement les fesses et pousser fortement dans les jambes en gardant les bras tendus et le torse bien droit et gainé. Projeter le ballon vers le haut en gardant les bras tendus. Récupérer le ballon et recommencer ainsi de suite.

C. **DEBOUT** en équilibre sur une jambe, un médecine-ball dans les mains et face à un mur, amener le médecine-ball en pivotant au niveau de la hanche de la jambe d'appui, puis lancer le ballon vers le mur. Rattraper le ballon et recommencer du même côté comme un pendule. Ainsi de suite puis changer de côté lors de la série suivante.

COMBIEN : 3 à 4 séries/8 à 12 reps

RÉCUPÉRATION : 1 min 30 à la fin du circuit

PHASE 3

››› FICHE 9 ATHLÉTIQUE

A. **MAINS** au sol et pieds sur le swissball, soulever la jambe droite tendue. Ramener le pied gauche vers la poitrine en fléchissant la hanche et le genou. Le rythme de l'exercice est contrôlé et la posture doit être parfaite (alignement tête, tronc, bassin et jambe). Ainsi de suite puis changer de côté lors de la série suivante ou en alternant d'une série à l'autre.

›››

B• **ALLONGÉ**, le haut du dos sur un swissball, en appui sur l'épaule droite, bras gauche en extension vers le ciel, donner un coup de poing avec le bras droit en maintenant bien le bassin en l'air (contraction des fessiers) et en poussant et en prenant appui simultanément avec le coude gauche sur le swiss ball.

▶ COMBIEN : **3 à 4 séries/6 à 8 reps**

RÉCUPÉRATION : **45 sec à 1 min à la fin du circuit**

LES RÉPONSES À VOS QUESTIONS

LES EXERCICES DE GAINAGE PRÉCONISÉS DANS D'AUTRES OUVRAGES SONT-ILS À JETER À LA POUBELLE ?

Non, ils peuvent être conservés, simplement les exercices de *Sculptez vos abdos* permettent un travail plus affiné car ils sont adaptés à chaque type de posture. Les exercices de ce livre peuvent être utilisés :
• soit en complément des exercices que vous pratiquez déjà ;
• soit en remplacement, le temps d'une saison sportive pour changer de stimulation ;
• soit en remplacement définitif si vous souffrez du dos, des hanches ou du bassin chroniquement car ils permettent de corriger les déséquilibres posturaux qui sont très souvent à l'origine des douleurs.

Gardez en tête que le corps s'habitue à toutes les stimulations. Ce livre vous a ouvert les yeux sur l'équilibre fondamental qui doit exister au niveau du bassin et de la colonne. Les fiches du livre constituent une base de travail qui peut évoluer et être modifiée à l'infini, l'important étant de maintenir l'équilibre entre les chaînes musculaires.

JE SUIS PERTURBÉ CAR JE NE SENS PAS MES ABDOS TRAVAILLER LORSQUE JE FAIS LES EXERCICES !

Comme je l'ai expliqué, ça n'est pas le but recherché, mais rassurez-vous, vos abdominaux travaillent bel et bien ! Pendant des années on a habitué les gens à se focaliser sur le travail d'un seul muscle (grand droit ou obliques en l'occurrence) afin de l'épuiser et le faire progresser. Ce principe d'isolation musculaire, qui pour moi est dépassé, a été véhiculé pendant des décennies par les pratiquants de culture physique, de bodybuilding et de sport de combat. Cette manière de travailler déséquilibre le corps à long terme (même si on prend soin de travailler le ou les muscles antagonistes). Pour autant, elle ne doit pas être condamnée et exclue de votre d'entraînement si vous êtes de posture 1. Elle doit simplement être utilisée avec parcimonie et non être la base de votre entraînement. En revanche si vous êtes de posture 2 ou 3, elle ne devrait pas être utilisée afin de ne pas accentuer vos déséquilibres posturaux.

J'AI MAL AU DOS OU AU COU PENDANT OU APRÈS UNE SÉANCE, EST-CE NORMAL ?

Non, mais il y a douleur et douleur. Nous avons vu qu'en fonction de votre type de posture vous risquiez de ressentir différentes sensations plus ou moins intenses (page 56). Si une douleur apparaît pendant un mouvement ou une séance et si elle augmente ou si elle ne disparaît pas après la séance, c'est que vous avez peut être trop forcé, ou qu'un ou plusieurs exercices ne sont pas bien réalisés. Demandez conseil à votre kiné ou ostéo ou encore sur le forum de mon site www.christophe-carrio.com.

Les douleurs au niveau du cou peuvent résulter d'un déséquilibre de force et d'endurance entre la musculature profonde et superficielle du cou. Veillez à intégrer les exercices de la fiche page 148 dans votre programme.

LES FICHES MOBILISATION SONT DIFFICILES POUR MOI QUE FAIRE ?

Elles le sont pour beaucoup de monde dans la mesure où nous passons tous trop de temps assis, ce qui fait perdre la mobilité thoracique. Le but de ces exercices est d'augmenter progressivement la mobilité thoracique (vertèbres et cotes) ainsi que celle de l'épaule. Aucun des mouvements des fiches de mobilisation ne doit être violent ou agressif sous peine de se faire mal précisément dans la zone où l'on est censé améliorer les choses. Respectez les amplitudes que votre corps vous autorise en essayant simplement de gagner quelques degrés à chaque répétition ou série ou séance. Rappelez-vous également que si la rigidité thoracique (vertèbres et cotes) est préjudiciable, une hyper mobilité l'est tout autant !

PEUT-ON SE FAIRE MAL AU DOS AVEC LES FICHES DE LA PHASE 3 ?

OUI ! C'est la raison pour laquelle elles ne sont pas adaptées à tout le monde et à tous les objectifs. En revanche, une personne qui a suivi la progression du livre, phase 1 et phase 2 niveau avancé disposera de la force nécessaire pour effectuer les exercices de la phase 3 avec la plus grande sécurité possible. Gardez en tête que plus un exercice est avancé et global, plus le besoin de concentration et de vigilance est grand pour éviter les blessures. De plus, il faut toujours évaluer le ratio bénéfice/risque d'un exercice ou d'une méthode en fonction des objectifs que vous poursuivez.

• Si vous avez souvent mal au dos, ces exercices ne sont pas forcément pour vous.

• Si vous voulez un ventre plat ou de beaux abdos pour la plage, cette phase n'est pas forcément utile.

• Si vous êtes un sportif accompli voulant développer son potentiel maximum et/ou participer à des compétitions dans des sports à composantes explosives (sports collectifs, de raquette, de combat, athlétisme...), vous devez intégrer ces exercices dans la planification de votre saison sportive.

COMMENT INTÉGRER LES FICHES DE CE LIVRE AUX PROGRAMMES DES AUTRES LIVRES DE LA COLLECTION MON COACH REMISE EN FORME ?

Aucun programme n'est figé. Le principe de la collection, même si des programmes bien définis vous sont proposés, est de vous apprendre à créer vos propres programmes. Le but de chacun de mes livres est de vous former à des méthodes d'entraînement les plus respectueuses du corps à long terme, tout en vous proposant une grande variété d'exercices. Tous les exercices quels qu'ils soient respectent les principes évoqués dans *Un corps sans douleur* comme celui de l'équilibre des chaînes musculaires. Voici quelques exemples pour vous guider ;

Livres : *Sculptez vos abdos* **+**

• *Un corps sans douleur* (CSD).

Avec les programmes correctifs du livre CSD : effectuer toutes les fiches de la phase 1 ou prendre 2 ou 3 fiches de la phase 2 en remplacement des fiches gainage de CSD.

Rajouter une série de chaque fiche mobilisation de ce livre avant votre programme CSD

• *La meilleure façon de courir* (MFC).

Utiliser les fiches mobilisations de *Sculptez vos abdos* avec les fiches « respiration » de MFC. Remplacer les fiches gainage primitif (fiche 4 à 6) par les fiches de la phase 1 ou 2

• *Musculation haute densité* (MHD)

Prendre des fiches de la phase 1 ou 2 et les effectuer à la fin des séances de phase 1 ou 2 de MHD. Prendre des fiches de la phase 3 et les effectuer à la fin d'une séance de la phase 3 de MHD

• *Musculation athlétique (MA)*

Prendre des fiches de la phase 1 et les rajouter à la fin des séances de la phase 1 (bleu) de MA. Prendre au maximum 4 fiches de la phase 2 et les rajouter à la fin des séances de phase 2 (orange) de MA si vous suivez le niveau sportif. Prendre au maximum 2 fiches de la phase 2 et les rajouter à la fin des séances de phase 2 (orange) si vous suivez le niveau athlète. Prendre 2 fiches de la phase 3 et les rajouter à la fin des séances de la phase 3 (vert) de MA.

• *Mon plan forme et minceur*

Remplacer les fiches gainage et pilates (fiche 3 à 6) par des fiches de la phase 1 ou 2.

LES EXERCICES DE CE LIVRE REMPLACENT-ILS CEUX D'UN CORPS SANS DOULEUR PUISQU'ILS CORRIGENT LA POSITION DU BASSIN ?

Non. Ce livre n'est qu'une continuité du travail amorcé dans *Un corps sans douleur*. Les fiches de ce livre ne remplacent que la partie gainage d'*Un corps sans douleur*. En ce sens, elles « ciment » progressivement une nouvelle position du bassin dont les répercussions se feront sentir plus tard. Si votre temps est limité, diminuez le temps que vous passez sur vos automassages et n'effectuez qu'une série des exercices correctifs d'*Un corps sans douleur* puis choisissez une ou deux fiches de la phase 1 ou 2 de ce livre.

▶ Si vous avez d'autres questions, n'hésitez pas à me les poser sur mon forum www.christophe-carrio.com. J'y répondrai personnellement.

▶ Si vous avez du mal à comprendre certains exercices, je vous invite à vous abonner sur ma chaîne youtube (abonnement gratuit). Vous y trouverez de nombreuses vidéos explicatives. http://www.youtube.com/user/christophecarrio

▶ Enfin sachez que j'organise régulièrement des stages. Si vous souhaitez participer à l'un d'eux, toutes les informations sont sur mon site www.christophe-carrio.com.

BIBLIOGRAPHIE

Ouvrages

S. Sahrmann : *Diagnosis and treatment of mouvement impairment syndromes.* Mosby Ed., 2002.

Tom Myers : *Anatomy trains,* Churchill Livingstones Ed, 2002.

Blandine Calais-Germain : *Anatomie pour le mouvement,* Editions désiris, 2008.

Elvire Nérin : *Le régime IG minceur,* Thierry Souccar Editions, 2007.

Vladimir Janda : *Muscles Fonction testing,* Butterworth-Heinemann Ltd, 1982.

Christophe Carrio : *Echauffement gainage et plyométrie pour tous,* éditions Amphora, 2008.

Gracovetsky, S. : *The Spinal Engine.,* New York: Springer-Verlag, 1988.

Bogduk N., Towmey L.T. : *Clinical Anatomy of the Lumbar Spine* (2nd. Ed.).Melbourne, Edinburgh, London, New York and Tokyo: Churchill Livingstone, 1991.

Seignalet J : *L'alimentation ou la 3ᵉ médecine.* 4ᵉ édition, FX de Guibert Ed., 2001.

Abdominaux et colonne vertébrale

Brown S., S. : *Torso and hip muscle activity and resulting spine load and stability while using the Profitter 3-D Cross Trainer.* J. Appl. Biomech., 2009, 25: 73-84.

McGill S.M. : *Exercises for spine stabilization: Motion/Motor patterns, stability progressions and clinical technique.* Arch. Phys. Med. and Rehab., 2009, 90: 118-126.

Brown, S. : *Transmission of muscularly generated force and stiffness between layers of the rat abdominal wall.* SPINE, 2009, 34(2): E70-E75.

McGill S.M. : *Comparison of different strongman events: Trunk muscle activation and lumbar spine motion, load and stiffness,* Journal of Strength and Conditioning Research. 2008, 23(4): 1148-1161

McGill, S.M. : *Therapeutic exercise for the painful lumbar spine: Where does one begin,* Orthop. Div. Review CPA March/April 2008, pp. 12-18,.

Pecora C. : *The refractory period of the audible "crack" following lumbar manipulation.* J. Manip. Physiol. Therapeutics., 2008, 31(3): 199-203.

Moreside J.M. : *Neuromuscular independence of abdominal wall muscles as demonstrated by middle-eastern style dancers.* J. Electromyography and Kines., 2008, 18: 527-537.

Tampier C. : *Progressive disc herniation : An investigation of the mechanism using radiologic, histochemical and microscopic dissection techniques.* SPINE, 2008, 32(25): 2869-2874.

Santana, J.C. : *A kinetic and electromyographic comparison of standing cable press and bench press.* Journal of Strength and Conditioning Research, 2007, 21(4): 1271-1279.

GRENIER, S.G. : *Quantification of lumbar stability using two different abdominal activation strategies.* Arch. Phys. Med. & Rehab, 2007, 88(1):54-62.

VERA-GARCIA F. : *Effects of abdominal stabilization manoeuvres on the control of spine motion and stability against sudden trunk loading perturbations.* J. EMG and Kines., 2007 17:556-567.

FREEMAN S. : *Quantifying muscle patterns and spine load during various forms of the pushup.* Med. Sci: Sports and Exerc., 2006, 38(3): 570-577.

McGILL S.M. : *Sitting on a chair or an exercise ball: Various perspectives to guide decision making.* Clin. Biomech., 2006, 21(4): 353-360.

AULTMAN C.D. : *Predicting the direction of nucleus tracking in povine spine motion segments subjected to repetitive flexion and simultaneous lateral bend,* Clinical Biomechanics, 2005, 20: 126-129.

HODGES P. W. : *Feedforward contraction of transversus abdominis is not influenced by the direction of arm movement.* Exp Brain Res,1997, 114:362-370.

HODGES P.W. : *Contraction of the Abdominal Muscles Associated With Movement of the Lower Limb. Physical Therapy.* 1997 Vol. 77 No. 2 February.

ARUIN S.A., LATASH M.L. : *Directional specificity of postural muscles in feed-forward postural reactions during fast voluntary arm movements.* Exp Brain Res , 1995, 103:323-332.

CRESSWELL A.G. : *Observations on intra-abdominal pressure and patterns of abdominal intra-muscular activity in man.* Acta Physiol Scand , 1992, 144, 409-418.

RICHARDSON C.A. : *Muscle control ? pain control. What exercises would you prescribe ?* Manual Therapy, 1995, 1, 2-10.

CHOLEWICKI J. : *Intra-abdominal Pressure Mechanism for Stabilizing the Lumbar Spine.* Journal of Biomechanics, 1995, 32, 13-17.

MAJKOWSKI G.R. : *The Effect of Back Belt Use on Isometric Lifting Force and Fatigue of the Lumbar Paraspinal Muscles.* Spine, 1998., 23, No. 19, pp 2104-2109, .

THOMAS J.S. : *Effect of lifting belts on trunk muscle activation during a suddenly applied load.* Hum Factors 1999 Dec;41(4): 670-6.

REYNA J.R. : *The Effect of Lumbar Belts on Isolated Lumbar Muscle Strength and Dynamic Capacity.* Spine, 1995, Vol. 20 No. 1 pp 68-73.

McGILL S.M. : *The effect of an abdominal belt on trunk muscle activity and intra-abdominal pressure during squat lifts.* Ergonomics, 1990, Feb;33(2):147-60.

BOURNE N.D. : *Effect of a weightlifting belt on spinal shrinkage.* Br J Sports Med, 1991, Dec;25(4): 209-12.

GILL K.P. : *The Measurement of Lumbar Proprioception in Individuals With and Without Back Pain.* Spine, Vol. 23, No. 3, pp 371-77.

Nutrition

Neira R. : *Fat liquefaction: effect of low-level laser energy on adipose tissue*, Plastic Reconstruct Surge 2002;110:912-922.

Neria R. : *Low-Level Laser-Assisted Lipoplasty, Appearance of Fat Demonstrated by MRI on Abdominal Tissue*. American Journal of Cosmetic Surgery. Vol. 18, No.3, 2001.

Levine, J.A. : *Role of nonexercise activity thermogenesis in resistance to fat gain in humans*. Science, 1999, Volume 283, Issue 5399 , 212-214

Forbes, G.B. : *Body fat content influences the body composition response to nutrition and exercise*. Annual New York Academy of Science, 2000, 904 , 359-65.

Dulloo, A.G : *The control of partitioning between protein and fat during human starvation: its internal determinants and biological significance*. British Journal of Nutrition, 1999, 82, 339-356.

Dulloo, A.G. : *Partitioning between protein and fat during starvation and refeeding: is the assumption of intra-individual constancy of P-ratio valid?* British Journal of Nutrition, 1998, 79, 107-113.

Low-dose leptin reverses skeletal muscle, autonomic, and neuroendocrine adaptations to maintenance of reduced weight J. Clin. Invest. 2005, 115(12): 3579-3586 .

Miller W.C. : *A meta analysis of the past 25 years of weight loss research using diet, exercise or diet plus exercise intervention*. International Journal of Obesity, 1997, b21:941-947.

Kraemer W.J. : *Influence of exercise training on physiological and performance changes with weight loss in men*. Medicine and Science in Sports and Exercise, 1998, 31:1320-1329.

Wallace M.B : *Effects of cross training on markers of insulin resistance/hyperinsulinemia*. Medicine and Science in Sports and Exercise, 1997, 29:1170-1175.

Park S : *The effect of combined aerobic and resistance exercise training on abdominal fat in obese middle-aged women*. Journal of Physiology Anthropology and Applied Human Science, 2003, 22(3):129-135.

Rodas G. : *A short training program for the rapid improvement of both aerobic and anaerobic metabolism*. European Journal of Applied Physiology, 2000, 82:480-486.

Tabata I. : *Effects of moderate-intensity endurance and high-intensity intermittent training on anaerobic capacity and VO2max*. Medicine and Science in Sports and Exercise, 1996, 28:1327-1330.

Leptin response to carbohydrate or fat meal and association with subsequent satiety and energy intake. Institut National de la Santé et de la Recherche Médicale U-508, 59000 Lille, France

Glycogen storage capacity and de novo lipogenesis during massive carbohydrate overfeeding in man. Am Journal of Clinical Nutrition 1988 Aug;48(2):240-7.

Bullough R.C. : *Interaction of acute changes in exercise energy expenditure and energy intake on resting metabolic rate*. Am J Clin Nutr. 1995 Mar;61(3):473-81.

Bell C. : *High energy flux mediates the tonically augmented beta-adrenergic support of resting metabolic rate in habitually exercising older adults*. J Clin Endocrinol Metab. 2004 Jul;89(7):3573-8.

SCHUENKE M.D. : *Effect of an acute period of resistance exercise on excess postexercise oxygen consumption: implications for body mass management.* Eur J Appl Physiol. 2002 Mar;86(5):411-7. Epub 2002 Jan 29.

KRAMER, VOLEK ET AL. : *Influence of exercise training on physiological and performance changes with weight loss in men.* Med. Sci. Sports Exerc., 1999, Vol. 31, No. 9, pp. 1320-1329.

BRYNER RW : *Effects of resistance vs. aerobic training combined with an 800 calorie liquid diet on lean body mass and resting metabolic rate.* J Am CollNutr. 1999 Apr;18(2):115-21.

TALANIAN, GALLOWAY ET AL : *Two weeks of High Intensity Aerobic Interval Training increases the capacity for fat oxidation during exercise in women.* J Appl Physiol , December 14, 2006, japplphysiol.01098, 2006.

SCHUENKE M. : *Effect of an acute period of resistance exercise on excess post-exercise oxygen consumption: implications for body mass management.* Eur J Appl Physiol, 2002, 86:411-417.

RICHÉ D. : *Hyperperméabilité intestinale chez le sportif : mécanismes, conséquences et prise en charge nutritionnelle.* NAFAS, 2004, vol. 2, n° 3.

BISCHOFF S.C., HERMANN A. & COLL : *Prevalence of adverse reactions to food in patients with gastrointestinal disease.* Allergy, 1996, 51 : 811-8.

LOPEZ A. : *Troubles digestifs et auto-médication constatés en compétition chez les sportifs d'endurance : enquête épidémiologique prospective sur une saison sportive de triathlon.* Gastroenterol.Clin.Biol., 1994,18 : 317-22.

LAMBERT GP, BROUSSARD LL & COLL : *Gastrointestinal permeability during exercise : effect of aspirin and energy-containing beverages.* J.Appl.Physiol., 2001, 90 : 2075-80.

DANS LA MÊME COLLECTION

Retrouvez une posture idéale
et éliminez les tensions

UN CORPS SANS DOULEUR

EN 20 MINUTES PAR JOUR

100 MOUVEMENTS
CORRECTIFS
ET D'AUTOMASSAGE

Mon coach remise en forme
CHRISTOPHE CARRIO
Champion du monde de karaté

THIERRY SOUCCAR ÉDITIONS

MON COACH REMISE EN FORME
CHRISTOPHE CARRIO
Champion du monde de karaté

MON PLAN FORME & MINCEUR

LE PROGRAMME
RÉVOLUTIONNAIRE
POUR UNE SILHOUETTE
PARFAITE

LES MÉTHODES ET EXERCICES
LES PLUS RENTABLES

L'ALIMENTATION OPTIMALE

UN PROGRAMME PERSONNALISÉ À
PRATIQUER À LA MAISON OU EN SALLE

THIERRY SOUCCAR ÉDITIONS

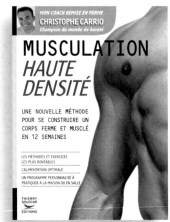

MON COACH REMISE EN FORME
CHRISTOPHE CARRIO
Champion du monde de karaté

MUSCULATION HAUTE DENSITÉ

UNE NOUVELLE MÉTHODE
POUR SE CONSTRUIRE UN
CORPS FERME ET MUSCLÉ
EN 12 SEMAINES

LES MÉTHODES ET EXERCICES
LES PLUS RENTABLES

L'ALIMENTATION OPTIMALE

UN PROGRAMME PERSONNALISÉ À
PRATIQUER À LA MAISON OU EN SALLE

THIERRY SOUCCAR ÉDITIONS

MON COACH REMISE EN FORME
CHRISTOPHE CARRIO
Champion du monde de karaté

MUSCULATION ATHLÉTIQUE

UN CORPS ET DES
PERFORMANCES
D'ATHLÈTE AVEC
DES MOUVEMENTS
NATURELS

TOUTES LES TECHNIQUES ET LES
MEILLEURS EXERCICES QUI UTILISENT
LE POIDS DU CORPS

LA NUTRITION OPTIMALE

DES PROGRAMMES DE TOUS NIVEAUX

THIERRY SOUCCAR ÉDITIONS

MON COACH REMISE EN FORME
CHRISTOPHE CARRIO

LA MEILLEURE FAÇON DE COURIR

MIEUX COURIR
SANS FATIGUE
NI BLESSURES

LES CLÉS POUR AMÉLIORER SA FOULÉE, SON
ENDURANCE ET SA SANTÉ

DES EXERCICES D'ÉCHAUFFEMENT ARTICULAIRE
ET DE RESPIRATION INÉDITS

UN PLAN D'ENTRAÎNEMENT ET DES CONSEILS
ALIMENTAIRES

THIERRY SOUCCAR ÉDITIONS